위대한 복음 1

THE RESCUE BEGINS

THE GOSPEL PROJECT®

The Gospel Project for Kids
is published quarterly by LifeWay Christian Resources,
One LifeWay Plaza, Nashville, TN 37234, Thom S. Rainer, President

가스펠 프로젝트

신약 1

위대한 복음

고학년 교사용

지은이 · LifeWay Kids
옮긴이 · 안윤경
감수 · 김병훈, 류호성, 김정효

초판 발행 · 2018. 4. 23
5쇄 발행 · 2023. 6. 17
등록번호 · 제1988-000080호
등록된 곳 · 서울특별시 용산구 서빙고로65길 38
발행처 · 사단법인 두란노서원
영업부 · 02) 2078-3352, 3452, 3752, 3781 FAX 080-749-3705
편집부 · 02) 2078-3437
활동연구 · 김찬숙, 박현진, 이경선, 이다솔, 한승우, 홍선아

책값은 뒤표지에 있습니다.
ISBN 978-89-531-3096-8 04230 / 978-89-531-3122-4 (세트)

홈페이지 · gospelproject.co.kr / **두란노몰** · mall.duranno.com

차례

이렇게 활용해 보세요!

① 단원 개요 · 각 과의 목표

- '가스펠 프로젝트'(하나님의 구원 계획)의 연대기적 큰 흐름 속에서 각 단원과 각 과의 주제를 살펴봅니다.

DVD **카운트다운** 단원별로 제공되는 3분 카운트다운 영상(지도자용 팩)으로, 장소를 옮기거나 시간을 구분 짓는 방법으로 활용할 수 있습니다.

DVD **무대 배경** 단원별 설교의 도입(들어가기)에서 공통적으로 활용할 수 있는 무대 데코 아이디어로, 배경 이미지(지도자용 팩)를 화면에 띄워 사용할 수 있습니다.

단원 암송 단원의 핵심 메시지가 담긴 성경 구절입니다.

성경의 초점 본문과 관련된 성경의 중심 주제(핵심 교리)를 문답 형식으로 정리한 문장입니다. 단원별 성경의 초점을 익히며 성경의 흐름을 이해하게 합니다.

주제 각 과의 핵심 줄거리를 파악할 수 있습니다.

가스펠 링크 성경 이야기에 담긴 복음을 발견하게 합니다. 모든 성경 이야기는 그리스도와 연결됩니다.

본문 속으로 각 과를 준비하며 묵상할 내용과 티칭 포인트를 제시합니다. 청장년용 《가스펠 프로젝트》로 교사 소그룹 모임에서 더 깊은 묵상을 나누며 성경 읽기를 병행할 것을 권유합니다. 부모 소그룹 모임은 교회와 가정을 연계해 교육 효과를 더욱 높여 줄 것입니다.

교사 지도 가이드 영상 교사들이 각 과의 내용과 아이들에게 전달해야 할 핵심을 쉽게 파악할 수 있도록 짧은 예시와 함께 개요를 소개하고 교사를 독려합니다. 홈페이지(gospelproject.co.kr)에서 무료로 활용할 수 있습니다.

말씀 묵상 ②

- 말씀을 묵상하며 어떻게 가르칠 것인가를 기도로 준비합니다.

DVD **이야기 성경** '가스펠 설교'에서 사용하는 구어체 설교입니다. 같은 내용의 영상이 지도자용 팩에 있습니다.

교사를 위한 기록장 말씀을 가르치기 전 교사가 발견한 메시지를 기록하며 말씀을 내면화하도록 돕습니다.

환영 아이들을 맞이하며 나눌 수 있는 대화의 소재를 제안합니다.

마음 열기 이 과의 주제와 연결된 간단한 게임 활동을 소개합니다.

③ 가스펠 준비

- 사전 활동을 살펴봅니다.

4 가스펠 설교

- **도입 - 전개 - 가스펠 링크 - 복음 초청 - 적용**에 이르는 설교 가이드입니다.

들어가기 도입 아이디어를 소개합니다.

찬양 단원 주제를 담은 찬양, 악보, 율동을 지도자용 팩과 가스펠 프로젝트 홈페이지에서 만날 수 있습니다.

적용 에피소드를 담은 영상과 질문이 담겨 있습니다. 설교 도입이나 적용 부분에서 활용하거나 영상을 본 뒤 소그룹에서 풍성한 대화를 이어 가는 방법도 추천합니다.

복음 초청 복음을 전하고 영접 기도로 이끌 수 있는 초청 대화를 담았습니다. 지도자용 팩과 가스펠 프로젝트 홈페이지에서 영상을 활용할 수 있습니다.

연대표 가스펠 프로젝트(하나님의 구원 계획)의 큰 흐름 속에서 각 과의 위치를 파악해 봅니다.

가스펠 소그룹 5

- 예배 후 소그룹 모임에서 배운 내용을 되새길 수 있는 다양한 활동을 소개합니다.

보물 상자 성경의 메시지와 내 삶을 연결해 보고, 하나님과 일대일 대화를 나누듯 마음을 고백하는 마무리 활동입니다.

나침반 재미있는 게임 활동으로 단원 암송을 익히게 합니다. 부록의 단원 암송 자료와 지도자용 팩의 파일을 활용할 수 있습니다.

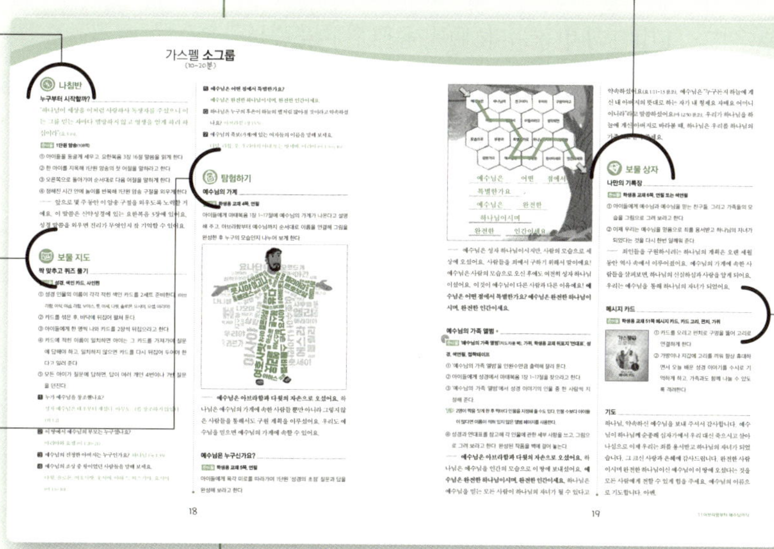

보물 지도 퀴즈와 게임을 통해 성경 이야기를 복습하는 활동입니다.

탐험하기 성경 이야기의 의미를 묵상하며 주제, 가스펠 링크, 성경의 초점 등을 되새기는 확장 활동입니다.

메시지 카드 각 과의 핵심 내용과 가족과 함께하는 활동을 담았습니다.

DVD *지도자용 팩의 PC 전용 DVD-Rom에 영상, 그림, 음원, 악보, PPT 등의 자료가 있습니다.

- 2017년 3월 28일에 고시된 「외래어 표기법」 일부 개정안에 따라 외래어 뒤에 쓰인 산, 강, 왕 등의 일반 명사는 붙여 쓰는 것으로 표기하였습니다.

발간사

두란노서원을 통해 라이프웨이(LifeWay)의《가스펠 프로젝트》성경 공부 교재 시리즈를 발간할 수 있도록 인도하신 하나님께 감사드립니다. 험한 소리로 가득한 세상에 이 책을 다릿돌처럼 놓습니다. 우리 삶은 말씀을 만난 소리로 풍성해져야 합니다. 주님을 만난 기쁨의 소리, 진실 앞에서 탄식하는 소리, 죄를 씻는 울음소리, 소망을 품은 기도 소리로 가득해야 합니다.

《가스펠 프로젝트》는 신구약을 관통하는 예수 그리스도의 복음을 발견하고, 그 가르침을 삶에 적용하는 지혜를 얻도록 기획한 성경 공부 교재입니다. 어린아이부터 어른에 이르기까지 생애 주기에 따른 복음 메시지를 잘 배울 수 있습니다. 또한, 거짓 진리가 미혹하는 이 시대에 건강한 신학과 바른 교리로 말씀을 조명하여 성도의 신앙이 좌로나 우로나 치우치지 않도록 돕습니다.

두란노서원은 지금까지 "오직 성경, 복음 중심, 초교파적 관점"을 바탕으로 한국 교회와 성도를 꾸준히 섬겨 왔습니다. 오직 성경의 정신에 입각해 책과 잡지를 출판해 왔으며, 성경에 근거한 복음 중심의 신학을 포기한 적이 없습니다. 그리고 교단과 교파를 초월하여 교회와 성도가 하나님 나라를 바라볼 수 있도록 돕기 위해 노력해 왔습니다.《가스펠 프로젝트》는 두란노가 지켜 온 세 가지 가치를 충실하게 담은 책입니다.

성경은 구원을 위한 책이며, 구원사의 주인공은 예수 그리스도입니다. 창세기부터 요한계시록까지 오직 예수 그리스도의 복음만을 전하는《가스펠 프로젝트》성경 공부 교재를 통해 복음의 은혜와 진리를 깊이 경험하고, 복음 중심의 삶이 마음 판에 새겨지기를 바랍니다. 그리고 예수 그리스도 복음에 굳게 선 한 사람의 영향력이 가정과 교회와 사회에 흘러감으로써 거룩한 하나님 나라가 확산되어 가기를 소망합니다.

두란노서원 원장 **이 형 기**

감수사

《가스펠 프로젝트》는 무엇보다도 전통적으로 교회가 풀어 온 흐름을 충실히 따라 성경을 해설하고 있습니다. 그리고 그 방향은 궁극적으로 예수 그리스도를 향해 나아가고 있습니다. 이것은 예수님이 구약과 신약의 모든 성경이 자신을 가리키고 있다고 하신 말씀에 비추어 매우 타당한 것입니다. 게다가 그리스도 중심적 해설을 무리하게 전개하지 않습니다. 각 본문에서 하나님의 구원 언약과 그것을 실현하시는 하나님을 드러내면서, 그리스도의 예표적 설명이 가능한 사건을 놓치지 않고 풀어내고 있습니다.

성경 공부 교재는 명시적으로 혹은 암시적으로 제시하는 교리적 진술이 교리 체계상 건전해야 합니다. 《가스펠 프로젝트》는 99개 조에 이르는 핵심 교리들을 일목요연하게 제시하여 교리의 건전성을 확인할 수 있도록 도움을 줍니다. 《가스펠 프로젝트》의 교리는 교파를 막론하고, 예수 그리스도의 복음에 충실한 복음주의 교회들에게 환영받을 만합니다. 물론 교파마다 약간의 이견을 갖는 부분들이 있을 수 있겠지만, 각 교회에서 교재를 활용하는 데에 무리가 없을 것입니다. 《가스펠 프로젝트》의 특징은 각 과에서 학습한 내용을 핵심 교리와 연결해 주며, 그 결과 그리스도의 복음에 관련한 교리적 이해를 강화시킨다는 데에 있습니다.

끝으로 《가스펠 프로젝트》는 어떤 성경 주해서나 교리 학습서가 갖지 못하는 훌륭한 장점을 가지고 있습니다. 그것은 학습자를 하나님과 그리스도의 복음 앞으로 이끌며, 자신의 신앙과 삶을 돌아보도록 하는 적용의 적실성과 훈련의 효과입니다. 아울러 본문과 관련한 교회사적으로 또 주석적으로 중요한 신학자와 목사의 어록을 제시하고, 심화 토론을 위한 질문을 달아 주고, 선교적 안목을 열어 주는 적용 질문들을 더해 준 것은 《가스펠 프로젝트》에서 얻을 수 있는 커다란 유익입니다.

추천할 만한 마땅한 성경 공부 교재를 찾기가 쉽지 않은 현실에서 《가스펠 프로젝트》는 성경을 개괄적으로 매주 한 과씩 3년의 기간 동안 일목요연하게, 그리고 그리스도 중심적으로 공부하도록 이끌어 준다는 점에서, 한국 교회의 기초를 성경 위에 놓는 일에 커다란 공헌을 할 것으로 믿어 의심치 않습니다.

김병훈 _ 합동신학대학원대학교 조직신학 교수

하나님의 말씀이 임하는 곳에는 회복의 역사가 있어서 죽은 뼈들도 힘줄이 생기고 살이 오릅니다(겔 37:8). 왜냐하면 하나님의 말씀은 그 자체에 능력이 있기 때문입니다(눅 1:37). 그분의 말씀은 살아 있고 활력이 있기에 예리하게 혼과 영과 및 관절과 골수를 찔러 쪼개기까지 하며 또 마음의 생각과 뜻을 판단할 것입니다(히 4:12). 하나님의 말씀이 왕성하게 흘러넘쳐 온 세상과 우주를 적실 때에 정의와 사랑(렘 9:24) 그리고 제자의 수가 많아지는 놀라운 부흥을(행 6:7) 경험할 것이고, 악한 세력이 모두 물러가며 새 하늘과 새 땅이 다가올 것입니다.

이를 위해 작은 등불의 역할을 할 《가스펠 프로젝트》는 다음과 같은 특징이 있습니다. 첫째는 성경 전체를 '그리스도 중심'으로 바라본 것입니다. 오실 그리스도(구약)와 오신 그리스도 그리고 앞으로 다시 오실 그리스도(신약)의 관점에서 구약성경과 신약성경을 서로 연결시켜서, 그 속에 담긴 놀라운 하나님의 구원 역사를 보게 합니다. 둘째는 같은 본문으로 교회와 가정 그리고 전 연령층에서 그리스도의 사랑을 배우게 합니다. 이는 특히 가정에서 소통할 기회를 제공하고 사랑과 정의를 실천하는 성숙한 그리스도인으로 성장하도록 이끌어 줍니다. 셋째는 신학적 주제와 기초 교리를 이해하기 쉽게 설명하며 영적 분별력을 향상시키는 데 도움을 줍니다. 넷째는 배운 것을 복음의 씨앗을 뿌리는 선교와 연결시키며 하나님이 주신 사명을 실천하도록 이끄는 것입니다. 이는 복음의 열정을 회복시켜 줍니다.

이러한 특징이 있는《가스펠 프로젝트》는 모든 교단과 교파를 초월해서, 하나님의 섬세한 구원의 손길과 그리스도의 숭고한 십자가의 사랑 그리고 거룩함으로 인도하는 성령님의 이끄심을 배울 수 있는 아주 좋은 성경 공부 교재입니다. 우리는 이를 통해 하나님의 말씀이 이 땅에 흘러넘치며, 복음의 열정을 품고 전 세계로 향하는 많은 전도자들을 세워 갈 수 있을 것입니다

류호성 _ 서울장신대학교 신약학 교수

일반적으로 교육 프로그램의 적절성은 철학적, 사회학적, 심리학적 측면에서 평가됩니다. 이 기준을 주일 학교에 적용해 본다면 신학적으로 맞는지, 교회(사회)의 필요를 잘 충족하는지 그리고 활동에는 학습자의 발달적 특성이 잘 고려되었는지를 살피며 평가가 이루어져야 할 것입니다. 이러한 측면에서 볼 때,《가스펠 프로젝트》 저·고학년 신약 시리즈는 다음과 같은 특징이 있습니다.

첫째, 신학적인 측면에서 신약 학습을 성자 하나님이신 예수님께 초점을 맞추고 있다는 점 그리고 예수님이 구약 인물의 계보를 따라 오신 역사적 인물이며 약속된 메시아이심을 강조한다는 점 등이 적절하다고 볼 수 있습니다.

둘째, 교회(사회)의 필요 충족이라는 측면에서 볼 때도, 주일 학교를 담당하는 교육자들의 필요를 꼼꼼히 매우 잘 반영하고 있습니다. 어쩌면《가스펠 프로젝트》는 처음 개발할 때부터 학생보다는 교육자의 필요를 먼저 살핀 교사 친화적 교재라고 할 수 있습니다. 대부분의 세속 학교 프로그램은 학생 교재가 먼저 제작되고 교재를 어떻게 사용해야 하는지에 대한 설명을 하는 용도로 교사용 지도서가 만들어집니다. 그러나《가스펠 프로젝트》를 살펴보면 교회 교육자의 입장에서 설교, 소그룹 활동, 복음에의 초청, 가정과의 연계 활동 등 일련의 활동을 먼저 계획하고 이를 실행할 때 필요한 학생용 교재를 부차적으로 구성했다는 인상이 들 정도로 이를 선택한 교육자들의 필요를 두루 살피며 안정적으로 지원하고 있습니다.

셋째, 교육 심리학적인 측면에서《가스펠 프로젝트》는 초등학교 아동이 가지는 발달 연령기의 특성을 잘 반영하고 있습니다. 이 시기 아동에게는 오감을 사용하는 구체적인 활동이 매우 중요한데《가스펠 프로젝트》는 매우 입체적으로 인지적, 감성적, 행동적인 측면을 총동원할 수 있도록 구성되어 있습니다. 특히 성경의 내용을 지식적으로 이해하는 데에서 머무르지 않고, 아동들의 생활 반경의 경험과 연결하여 의미를 이해하도록 하고, 마지막에는 가정과의 연계 활동을 제안하여 학습의 구체화와 지속성을 더하고 있다는 점이 특징입니다.

마지막으로《가스펠 프로젝트》의 도움으로 교회에서 다음 세대에게 말씀을 전하는 교육자들의 수고가 더욱 많은 열매를 맺을 수 있기를 기대합니다.

김정효 _ 이화여자대학교 초등교육과 교수

추천사

우리를 향한 하나님의 멈추지 않는 사랑, 아들을 내어 주신 아버지 하나님의 놀라운 구원 계획에 눈뜨게 하는 교재입니다. 성경을 꿰뚫는 변함없는 메시지, 예수 그리스도를 만날 수 있는 교재입니다. 유익한 활동과 흥미로운 반복 학습을 통해 기독교 핵심 주제를 접하고, 말씀을 가까이 하며, 가족과 묵상을 나누도록 이끄는 방식에 기대가 큽니다. 다양한 소재의 영상과 그림 자료는 시청각 자료가 부족한 교육 현장에 큰 활력을 불어넣어 줄 것입니다. 교재 내용에 맞게 창작된 찬양은 곡조가 있는 산 기도를 체험하게 도와줄 것입니다. 무미건조한 습관적 예배, 아이들과 소통하지 못해 안타까워했던 부모와 교사, 다음 세대를 걱정하는 교회 지도자들에게 이 교재를 추천합니다.

김요셉 _ 중앙기독학교 교목, 원천침례교회 목사

《가스펠 프로젝트》는 하나님의 말씀으로 우리를 초청해 예수 그리스도를 만나게 하고 사랑하게 만드는 교재입니다. 자녀들이 교회 학교에서, 부모들이 소그룹에서 말씀을 공부한 후 저녁 식탁에 둘러 앉아 예수님에 대해 함께 나눈다는 것은 상상만 해도 너무나 멋지고 복된 일입니다.

김지철 _ 소망교회 담임 목사

우리 시대의 전 세계적 교회 부흥은 두 가지 샘을 갖고 있습니다. 한 샘은 오순절 부흥 운동의 샘입니다. 이 샘으로 많은 시대의 목마른 영혼들이 목마름을 해갈했습니다. 또 하나의 샘은 성경 연구의 샘입니다. 남침례교 주일학교 운동은 이 샘의 개척자입니다. 이 샘으로 지금도 많은 성도가 목마름을 해갈하고 있습니다. 미국 남침례교 라이프웨이 출판사는 성경 연구를 돕는 사역을 충실히 감당해 왔습니다. 《가스펠 프로젝트》는 목마른 영혼들의 필요를 공급하는 원천이 될 것입니다. 《가스펠 프로젝트》는 쉬우면서도 결코 피상적이지 않습니다. 믿음의 단계를 따라 하나님의 자녀들에게 꼭 필요한 복음의 진수를 맛보게 해 줄 것입니다.

이동원 _ 지구촌교회 원로 목사

성경을 공부한다는 것은 성경에 기록된 사실을 배우는 것이 아니라 성경이 가르치는 교리를 배우는 것입니다. 왜냐하면 성경은 독자에게 어떤 새로운 정보를 주기 위해 인간이 쓴 책이 아니라 죄인인 인간에게 구원을 주기 위해 하나님이 쓰신 말씀이기 때문입니다. 그런데 이 구원의 도리인 교리를 성경 본문을 통해 배우기가 쉽지 않기 때문에 좋은 안내서가 필요합니다. 이번에 출간된 《가스펠 프로젝트》는 이와 같은 역할을 탁월하게 수행하고 있기 때문에 기쁜 마음으로 추천합니다.

이성호 _ 고려신학대학원 역사신학 교수

성경은 예수 그리스도를 중심으로 하는 하나님의 구원 이야기입니다. 《가스펠 프로젝트》는 성경이 어떻게 그리스도와 연결되어 있는지, 또 성도의 삶이 하나님의 구원 계획에 어떻게 연결되어야 하는지를 구체적으로 제시합니다. 또한 전 세대를 연결하고, 가정과 교회를 하나 되게 합니다. 신앙의 전수가 중요한 시대에 성도와 교회와 가정이 한마음으로 다음 세대를 준비시키기에 적합합니다. 특히 가정에서 부모가 자녀와 말씀으로 대화를 나눌 수 있게 해 자녀의 신앙 교육에 도움이 될 것입니다.

이재훈 _ 온누리교회 담임 목사

1 단원
성자 하나님

예수님은 베들레헴에서 태어나셨습니다. 예수님은 어릴 때부터 하나님의 아들로서의 역할을 이해하고 계셨습니다. 예수님이 세례 요한에게 세례를 받으셨을 때 하나님은 예수님이 하나님의 아들이심을 확증하셨습니다. 예수님은 마귀에게 3번의 시험을 받으셨지만 결코 죄를 짓지 않으셨습니다.

아브라함부터
예수님까지

마리아가 하나님을
찬양했어요

예수님이
태어나셨어요

The Gospel Project

예수님이
성전에 계셨어요

예수님이
세례를 받으셨어요

예수님이
시험을 이기셨어요

카운트다운 – 알람이 울리기 전에

카운트다운 영상(지도자용 팩)을 틀고 예배 준비 자세를 취하도록 격려한다. 예배가 시작되는 시간에 영상이 끝나도록 맞추어 놓는다. 영상이 끝나기 30초 전에 예배 인도자는 정해진 위치에 서서 조용히 기도하는 모범을 보인다.

무대 배경 – 거실에서

집의 거실처럼 보이도록 장식한다. 크고 편안한 의자나 흔들의자를 놓고 벽에 가족사진을 몇 개 걸어둔다. 폼보드를 이용해 벽난로를 만들고 색칠해도 좋다. 화면에 '거실에서' 배경 이미지(지도자용 팩)를 띄운다.

1 아브라함부터 예수님까지

마 1:1~17

단원 암송

하나님이 세상을 이처럼 사랑하사 독생자를 주셨으니 이는 그를 믿는 자마다 멸망하지 않고 영생을 얻게 하려 하심이라(요 3:16).

성경의 초점

예수님은 어떤 점에서 특별한가요?
예수님은 완전한 하나님이시며,
완전한 인간이세요.

본문 속으로

예수님의 탄생을 다루는 예언서는 많습니다. 구약 성경은 약속된 메시아가 여자의 후손으로 태어나(창 3:15 참조), 아브라함(창 22:18 참조), 이삭(창 21:12 참조), 야곱(민 24:17 참조)의 자손으로, 유다 지파의 자손으로(미가 5:2 참조), 이새의 줄기에서(사 11:1 참조), 그리고 다윗의 집에서(렘 23:5 참조) 태어날 것이라고 예언했습니다. 그리고 예수님이 처녀의 몸에서 태어나실 것이며(사 7:14 참조), 하나님의 아들이 되실 것이라고(대상 17:13~14; 시 2:7 참조) 예언했습니다. 예수님은 이 예언을 모두 성취하셨습니다.

성경 시대에 유대인들은 가족의 족보(계보)를 정확하게 기록하는 데 주의를 기울였습니다. 누군가가 속해 있는 가족은 상속권과 직접 연결되었습니다. 마태복음 1장 1~17절과 누가복음 3장 23~38절에는 예수님의 족보가 나옵니다. 마태복음의 기록은 예수님이 유대인의 왕이시며, 다윗 왕위의 합법적인 상속자라는 사실을 보여 줍니다. 누가복음에 나오는 예수님의 족보는 헬라파 그리스도인을 대상으로 쓰였으며, 아담의 후손으로 오신 예수님께 초점을 맞추고 있습니다.

예수님은 베들레헴에서 평범한 아기의 모습으로 태어나셨습니다. 이 땅에서 예수님의 부모는 마리아와 요셉이었지만, 그분의 진정한 아버지는 하나님이십니다. 예수님은 완전한 하나님이시며, 완전한 인간이십니다.

예수님은 완전한 하나님으로서 "그 안에는 신성의 모든 충만이 육체로"(골 2:9) 거하셨습니다. 또한 예수님은 완전한 인간으로서 인간의 몸과 마음, 그리고 감정을 가지셨습니다(눅 2:7, 52; 마 26:38 참조). 그분은 죄를 알지도 못하지만 우리의 죄를 대신 지셨고(고후 5:21 참조), 우리의 연약함을 동정하셨으며(히 4:15 참조), 우리 죄를 속하기 위해 화목 제물이 되셨습니다(요일 4:10 참조).

●● 티칭 포인트

성경 이야기를 통해 아이들에게 예수님의 조상과 그들의 이야기를 가르치고 함께 복습하십시오. 하나님은 예수님을 이 땅에 보내기 오래전부터 아담, 노아, 아브라함, 이삭, 야곱, 이새, 다윗, 솔로몬, 요시야를 통해 일하셨다는 것을 아이들이 깨달을 수 있도록 알려 주십시오. 하나님은 사람들을 죄에서 구원하기 위해 예수님을 이 땅에 보내셨습니다.

주 제

예수님은 아브라함과 다윗의 자손으로 오셨어요.

가스펠 링크

하나님은 예수님을 보내셔서 아브라함과 다윗에게 하신 약속을 지키셨어요. 예수님은 사람들을 죄에서 구원하고, 그들을 하나님의 가족이 되게 하세요.

아브라함부터 예수님까지 마 1:1~17

예수님은 성자 하나님이세요. 성자 하나님은 처음부터 계셨어요. 누군가 창조한 것이 아니에요. 하나님은 사람들을 죄에서 구원하기 위해 예수님을 보낼 계획을 세우셨어요. 예수님은 평범한 아기의 모습으로 이 땅에 오셨어요. 요셉과 결혼한 마리아에게서 태어나셨지요. 예수님은 완전한 하나님이시며, 완전한 인간이세요. 이것이 바로 예수님이 다른 사람과 구별되는 특별한 점이에요. 이 땅에 있는 다른 사람들처럼 예수님의 가족에도 역사가 있어요. 예수님에게도 부모님, 할아버지, 할머니, 증조할아버지, 증조할머니, 고조할아버지, 고조할머니를 거쳐 아주 많은 세대를 거슬러 올라가게 되지요.

예수님은 아브라함과 다윗의 자손으로 태어나셨어요. 아브라함은 아들 이삭을 낳았어요. 이삭에게는 두 아들이 있었는데 그중 한 명이 야곱이었어요. 야곱도 예수님의 *가계에 속해요.

그후 몇 대가 흐르고, 살몬이 태어났어요. 살몬은 이스라엘 정탐꾼들을 여리고성에 숨겨 주었던 라합과 결혼했어요. 라합은 아들을 낳고 이름을 보아스라고 지었어요. 보아스는 룻과 결혼했지요. 보아스와 룻은 아들 오벳을 낳았어요.

오벳은 아들 이새를 낳았어요. 이새는 아들이 여럿 있었는데, 막내아들이 바로 다윗이에요. 다윗은 평범한 소년이었지만 이스라엘의 왕으로 기름 부음 받았지요. 다윗은 찬양하는 것을 좋아했어요. 그는 많은 시편을 썼는데, 그중 몇몇은 이 땅에 오실 예수님에 관한 내용이었어요.

예수님의 가계에는 왕들도 있었어요. 다윗과 솔로몬을 비롯해 여호사밧, 웃시야, 아하스, 히스기야, 요시야 모두 예수님의 가계에 속한 왕들이었지요.

그리고 시간이 흘러 맛단이 태어났어요. 맛단의 아들은 야곱이었고, 야곱의 아들은 요셉이었어요. 요셉은 마리아와 결혼했어요. 마리아는 예수님의 어머니가 되었고, 요셉은 예수님을 아들로 길렀어요. 예수님은 진정한 구원자시며, 하나님의 아들이세요.

●● 가스펠 링크

예수님은 평범한 아기의 모습으로 오셨어요. 이 땅에서 예수님의 부모는 마리아와 요셉이었지만, 예수님의 진정한 아버지는 하나님이세요. 하나님은 예수님을 보내셔서 아브라함과 다윗에게 하신 약속을 지키셨어요. 예수님은 사람들을 죄에서 구원하고, 그들을 하나님의 가족이 되게 하세요.

*가계 : 대대로 이어 내려온 한 집안의 계통

가스펠 준비
(10~20분)

*는 선택 활동입니다.

환영

도착하는 아이들을 반갑게 맞이하고 헌금, 출석, QT 등을 확인하며 격려한다. 새 친구가 있다면 소개한다. 편안한 분위기에서 안부를 물으며 오늘의 말씀과 관련된 화제로 이야기를 나눈다. 아이들에게 자기 가족을 소개해 보게 한다. 조부모와 증조부모에 대해 질문한다. 자발적으로 대화에 참여하도록 이끈다.

예) "조상에 대해서 어떤 것들을 알고 있나요?", "할아버지와 할머니의 성함을 알고 있나요?", "증조할아버지의 성함을 알고 있나요?" 등.

— 우리는 우리의 조상이 누군지 다 기억할 수 없어요. 하지만 우리 가족에게 역사가 있다는 것은 틀림 없어요! 오늘은 예수님의 가계를 살펴볼 거예요.

마음 열기

가족 빙고 *

준비물 종이, 연필

① 아이들에게 종이와 연필을 나누어 주고, 종이에 3x3 빙고판을 그리게 한다. 빈칸에 가족 명칭(엄마, 아빠, 동생, 이모 등)을 쓰라고 한다.

② 한 명씩 순서대로 돌아가며 빈칸에 쓴 가족 명칭을 하나씩 말하게 한다.

③ 말한 단어와 같은 단어가 자신의 빙고판 안에 있으면 단어 위에 O표 하게 한다.

④ O표 한 칸으로 가로나 세로, 대각선으로 3줄을 먼저 만든 아이는 "빙고!"라고 외치라고 한다.

— 하나님이 우리에게 가족을 주신 것은 정말 놀라운 일이에요! 가족은 서로 사랑하고 서로 돌보아요. 예수님은 하나님의 아들이세요. 예수님이 아기의 모습으로 이 땅에 태어나셨을 때, 하나님이 예수님에게 가족을 주셨다는 사실을 알고 있나요? 예수님에게는 형제, 자매, 부모님이 있었어요. 뿐만 아니라, 조부모님, 증조부모님과 같은 이전 세대의 조상도 있었어요! 오늘의 성경 이야기는 예수님의 가족에 관한 이야기예요.

비슷하게 다르게 *

DVD **준비물** '비슷하게 다르게' 카드(지도자용 팩), 가위

① '비슷하게 다르게' 카드를 출력해 잘라 둔다. 아이들의 수가 많다면 여러 세트를 준비한다.

② 카드를 골고루 섞어 아이들에게 나누어 주고, 카드를 4×4 격자로 배열하라고 한다.

③ 각 행과 열에는 반드시 비슷하지 않은 항목(다른 동물, 다른 색)이 있어야 한다고 말해 준다.

예) "노란 고양이는 빨간 고양이와 같은 행이나 열에 있으면 안된다", "녹색 개는 녹색 애벌레와 같은 행 또는 열에 있으면 안된다" 등.

④ 아이들이 카드를 모두 배열하면, 각 행과 열의 비슷한 점과 다른 점을 이야기하게 한다.

— 여기 있는 그림들은 어떤 면에서는 비슷하고 어떤 면에서는 달라요. 이 땅에 오신 예수님은 우리와 같으면서도 달랐어요. 오늘 우리는 성경 이야기를 통해 예수님의 가족은 누구인지, 예수님은 우리와 어떤 점이 같고 어떤 점이 다른지 배우게 될 거예요.

교사를 위한 기록장 이 과를 준비하면서 깨닫게 된 묵상을 정리해 보세요.

· 나는 하나님이나 나에 대해

알게 되었습니다.

· 이 과를 통해 기억하고 싶은 하나님의 약속은

입니다.

· 아이들에게 전하고 싶은 메시지는

입니다.

가스펠 설교
(15~30분)

들어가기

준비물 **배낭, 공책, 성경, 가족사진**

배낭을 메고, 공책과 성경을 들고 들어온다. 소품을 바닥에 내려놓고, 아이들에게 할아버지, 할머니와 함께 찍은 가족사진을 보여 준다.

안녕하세요, 여러분! 여러분을 만나서 정말 기뻐요. 오늘 무슨 일을 할지 여러분에게 말하지 않고는 도저히 못 견디겠어요. 여러분은 할아버지나 할머니가 어렸을 때 어떻게 사셨는지 직접 이야기를 들어본 적이 있나요? 아이들의 대답을 기다린다. 저는 우리 가족들의 옛날 이야기 듣는 것을 정말 좋아해요. 오늘 할머니가 우리 집에 오시거든요. 할머니께 여쭤보고 싶은 질문들이 정말 많아요. 사실 오늘 제가 할 일도 예수님의 가족과 가계에 관련된 성경 이야기를 여러분에게 들려주는 거예요. 할머니를 기다리는 동안 그 이야기를 해 볼게요.

연대표

DVD '어린이를 위한 가스펠 프로젝트_하나님의 구원 계획' 영상(지도자용 팩)을 보여 주고 오늘의 성경 이야기도 하나님의 거대한 구원 계획의 한 부분에 속하는 이야기임을 상기시킨다.

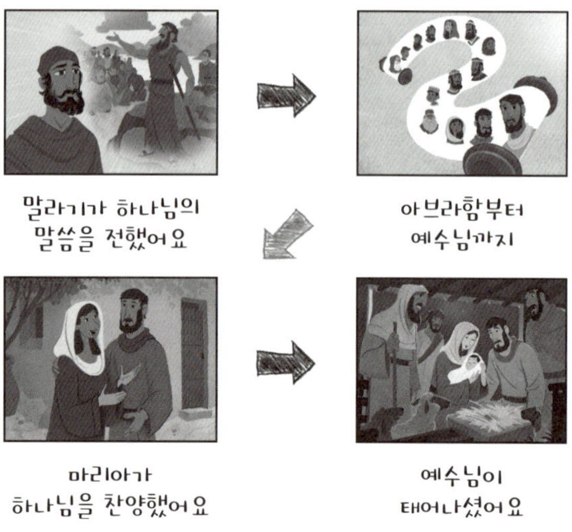

먼저 연대표를 함께 살펴볼까요? 여러분이 기억할지 모르겠지만, 성경은 여러 다른 이야기로 구성되어 있어요. 하지만 성경의 모든 이야기는 함께 모여 하나의 큰 이야기를 만들어요. 하나님이 어떻게 예수님을 이 땅에 보내 사람들을 죄에서 구원하셨는지에 관한 이야기지요. 연대표에서 오늘의 성경 이야기를 가리킨다. 오늘의 성경 이야기는 하나님이 예수님을 어떤 가계에서 태어나게 하셨는지에 관한 이야기예요. 제목은 "아브라함부터 예수님까지"랍니다.

성경의 초점

오늘의 성경 이야기는 우리가 신약성경에서 살펴볼 첫 번째 이야기예요. 이 이야기는 예수님은 어떤 분이시며, 어떤 일을 하셨는지 우리에게 가르쳐 줄 거예요. 1단원의 '성경의 초점' 질문은 **"예수님은 어떤 점에서 특별한가요?"**예요. 성경 이야기를 잘 들으며 '성경의 초점' 질문에 대한 답을 찾아보세요.

성경 이야기

DVD 마태복음 1장을 펴고, 설교 영상(지도자용 팩)을 보여 주거나 이야기 성경을 들려준다. 이야기를 들려줄 때, 예수님의 가족이 많았다는 것을 시각화할 수 있도록 화이트보드에 각 인물의 이름과 막대 인간을 그려도 좋다. 또는 포스트잇에 각 인물의 이름을 쓰게 하고, 인도자가 해당 인물을 말하면 아이들이 이름표를 벽에 붙이게 해도 좋다.

우와! 예수님의 가계 중에서 잘 아는 이름이 있나요? 아브라함, 이삭, 야곱을 기억하나요? 룻과 보아스, 그리고 그들의 아들인 오벳은 어때요? 오늘의 성경 이야기는 예수님이 왕의 집안에서 태어나셨다는 것을 알려 주어요! 이스라엘의 왕이었던 다윗과 솔로몬은 바로 예수님의 가계에 속했어요. 하나님은 사람들에게 하신 약속을 지키셨어요. 구약성경에서 하나님이 이 세상에 보낼 메시아에 관해 약속하신 것을 기억하나요? 하나님은 아브라함의 후손을 통해 세상에 복 주시겠다고 말씀하셨어요. 다윗의 후손 중에서 영원히 통치할 왕이 나올 것이라고도 말씀하셨지요. 그리고 이사야 선지자는 우리를 구원할 메시아가 처녀에게서 태어날 것이라는 하나님의 말씀을 전했어요.

예수님은 모든 예언을 이루셨어요! 예수님은 베들레헴에서 아기의 모습으로 태어나셨어요. 이 땅에서 예수님의 부모는 마리아와 요셉이었지만, 예수님의 진정한 아버지는 하나님이셨어요. 예수님은 아브라함, 다윗, 그리고 예수님의 가계에 속한 모든 사람과 다른 분이에요. **"예수님은 어떤 점에서 특별한가요? 예수님은 완전한 하나님이시며, 완전한 인간이**

세요." 이것이 1단원의 '성경의 초점' 질문과 답이에요. 함께 말해 볼까요? **예수님은 어떤 점에서 특별한가요? 예수님은 완전한 하나님이시며, 완전한 인간이세요.**

가스펠 링크

성경은 예수님의 가계에 속한 사람들의 이름을 알려 주어요. 예수님은 하나님의 아들이시고, 태초부터 계셨어요. 이 땅에 오시기 전에는 하늘에서 하나님 아버지와 함께 계셨지요. 우리를 사랑하시는 하나님은 아들이신 예수님을 아기의 모습으로 이 땅에 보내셨어요. 하나님은 아브라함과 다윗에게 하신 모든 약속을 지키셨어요. 우리도 예수님의 가족이 될 수 있다는 사실을 알고 있나요? 예수님을 주님이자 구세주로 믿으면, 하나님은 우리의 죄를 용서하시고 우리를 하나님의 자녀로 삼아 주세요.

찬양

조이풀 댄스(Joyful Dance)

마음 속에 슬픔 있나요 해결 못할 고민 있나요
모든 괴로움 주께 맡기고 우리 함께 즐거운 춤을 춰 봐요
혹시 아직도 망설이나요 나의 모습이 부끄럽나요
모든 걱정은 주께 맡기고 우리 함께 즐거운 춤을 춰 봐요

주 나를 구원하셨네 기쁨의 춤을 춰 봐요
더 크게 더 신나게 우리 주님과 함께 조이풀 댄스
모두 일어나 주님을 찬양해요
목소리 높여서 주님을 향해 원, 투, 쓰리, 포!
주 나를 구원하셨네 기쁨의 춤을 춰 봐요
더 크게 더 신나게 우리 주님과 함께 조이풀 댄스.

복음 초청

성경과 103쪽 복음 초청 가이드를 이용해서 아이들에게 그리스도인이 되는 법을 설명해 준다. 따로 상담해 줄 사람을 정해 주고 궁금한 점이 있으면 물어보도록 격려한다.

이 시간 예수님을 마음에 모시고 싶은 친구는 함께 기도해요.

기도

하나님, 태초부터 우리를 구원하기 위한 계획을 세우시고 이루어 주셔서 감사합니다. 하나님은 약속하신 대로 예수님을 아브라함과 다윗의 자손으로 보내 우리를 죄에서 구하시고 온 세상에 복을 주셨습니다. 이 세상 무엇보다도 크고 기쁜 소식인 예수님을 다른 사람들에게 전할 수 있도록 도와주세요! 예수님의 이름으로 기도합니다. 아멘.

적용

TIP 설교 도입이나 적용으로 활용하거나 영상을 본 뒤 소그룹으로 나누어 풍성한 대화를 이어 갈 수 있습니다.

만약 역사 속의 인물과 식사를 한다면, 누구와 함께 하고 싶은가요? 아이들의 대답을 기다린다.

여러분이 생각할 때 역사상 가장 유명한 사람은 누구인가요? 이 질문을 생각하며 오늘의 영상을 함께 보기로 해요.

적용 예화 영상(지도자용 팩)을 보여 준다.

역사상 가장 유명한 사람은 누구인가요? 그 사람이 유명한 이유는 무엇인가요? 우리는 왜 역사에 나오는 모든 사람이 아닌 일부만을 기억할까요?

역사상 가장 유명한 사람이 누구인지에 관한 의견은 사람마다 다를 수 있어요. 하지만 가장 중요한 분은 예수님이에요! 하나님은 세상을 창조하기 전부터 예수님을 이 땅에 보낼 계획을 세우셨어요.

하나님은 예수님의 이름을 높이는 계획에 함께하도록 우리를 부르세요. 예수님이야말로 가장 중요한 분이시며, 모든 사람이 예수님의 이름을 알아야 해요. 예수님만이 우리를 죄에서 구원하실 수 있어요.

가스펠 **소그룹**
(10~20분)

나침반

누구부터 시작할까?

"하나님이 세상을 이처럼 사랑하사 독생자를 주셨으니 이는 그를 믿는 자마다 멸망하지 않고 영생을 얻게 하려 하심이라"(요 3:16).

준비물 **1단원 암송**(108쪽)

① 아이들을 둥글게 세우고, 요한복음 3장 16절 말씀을 읽게 한다.

② 한 아이를 지목해 1단원 암송의 첫 어절을 말하라고 한다.

③ 오른쪽으로 돌아가며 순서대로 다음 어절을 말하게 한다.

④ 정해진 시간 안에 놀이를 반복해 1단원 암송 구절을 외우게 한다.

— 앞으로 몇 주 동안 이 암송 구절을 외우도록 노력할 거예요. 이 말씀은 신약성경에 있는 요한복음 3장에 있어요. 성경 말씀을 외우면 진리가 무엇인지 잘 기억할 수 있어요.

보물 지도

짝 맞추고 퀴즈 풀기

준비물 **성경, 색인 카드, 사인펜**

① 성경 인물의 이름이 각각 적힌 색인 카드를 2세트 준비한다. (아브라함, 이삭, 야곱, 라합, 보아스, 룻, 이새, 다윗, 솔로몬, 요시야, 요셉, 마리아)

② 카드를 섞은 후, 바닥에 뒤집어 펼쳐 둔다.

③ 아이들에게 한 명씩 나와 카드를 2장씩 뒤집으라고 한다.

④ 카드에 적힌 이름이 일치하면 아이는 그 카드를 가져가며 질문에 답해야 하고, 일치하지 않으면 카드를 다시 뒤집어 두어야 한다고 일러 준다.

⑤ 모든 아이가 질문에 답하면, 답이 여러 개인 4번이나 7번 질문을 던진다.

1 누가 예수님을 창조했나요?

성자 예수님은 태초부터 계셨다. 아무도 그를 창조하지 않았다 (히 1:2)

2 이 땅에서 예수님의 부모는 누구였나요?

마리아와 요셉 (마 1:20~21)

3 예수님의 진정한 아버지는 누구인가요? 하나님 (눅 1:35)

4 예수님의 조상 중 왕이었던 사람들을 말해 보세요.

다윗, 솔로몬, 여호사밧, 웃시야, 아하스, 히스기야, 요시야 (마 1:6~10)

5 **예수님은 어떤 점에서 특별한가요?**

예수님은 완전한 하나님이시며, 완전한 인간이세요.

6 하나님은 누구의 후손이 하늘의 별처럼 많아질 것이라고 약속하셨나요? 아브라함 (창 15:5)

7 예수님의 족보(가계)에 있는 여자들의 이름을 말해 보세요.

다말, 라합, 룻, 우리아의 아내 또는 밧세바, 마리아 (마 1:3~6, 16)

탐험하기

예수님의 가계

준비물 **학생용 교재 4쪽, 연필**

아이들에게 마태복음 1장 1~17절에 예수님의 가계가 나온다고 설명해 주고, 아브라함부터 예수님까지 순서대로 이름을 연결해 그림을 완성한 후 누구의 모습인지 나누어 보게 한다.

— **예수님은 아브라함과 다윗의 자손으로 오셨어요.** 하나님은 예수님의 가계에 속한 사람들 뿐만 아니라 그렇지 않은 사람들을 통해서도 구원 계획을 이루셨어요. 우리도 예수님을 믿으면 예수님의 가계에 속할 수 있어요.

예수님은 누구신가요?

준비물 **학생용 교재 5쪽, 연필**

아이들에게 육각 미로를 따라가며 1단원 '성경의 초점' 질문과 답을 완성해 보라고 한다.

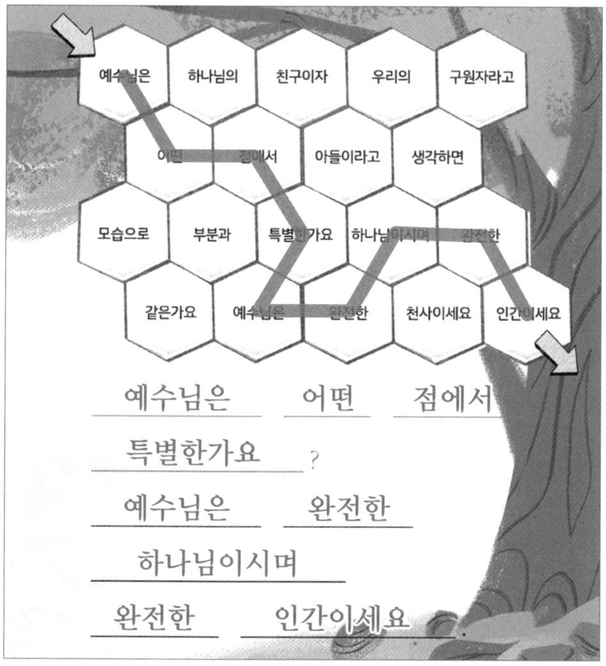

예수님은 성자 하나님이시지만, 사람의 모습으로 세상에 오셨어요. 사람들을 죄에서 구하기 위해서 말이에요! 예수님은 사람의 모습으로 오신 후에도 여전히 성자 하나님이셨어요. 이것이 예수님이 다른 사람과 다른 이유예요! **예수님은 어떤 점에서 특별한가요? 예수님은 완전한 하나님이시며, 완전한 인간이세요.**

예수님의 가족 앨범 *

DVD 1 준비물 **'예수님의 가족 앨범'**(지도자용 팩), **가위, 학생용 교재 뒤표지 '연대표', 성경, 색연필, 접착테이프**

① '예수님의 가족 앨범'을 인원수만큼 출력해 잘라 둔다.

② 아이들에게 성경에서 마태복음 1장 1~17절을 찾으라고 한다.

③ '예수님의 가족 앨범'에서 성경 이야기의 인물 중 한 사람씩 지정해 준다.

TIP 2명이 짝을 짓게 한 후 짝마다 인물을 지정해 줄 수도 있다. 인물 수보다 아이들이 많다면 이름이 적혀 있지 않은 앨범 페이지를 사용한다.

④ 성경과 연대표를 참고해 각 인물에 관한 세부 사항을 쓰고, 그림으로 그려 보라고 한다. 완성된 작품을 벽에 걸어 놓는다.

예수님은 아브라함과 다윗의 자손으로 오셨어요. 하나님은 예수님을 인간의 모습으로 이 땅에 보내셨어요. **예수님은 완전한 하나님이시며, 완전한 인간이세요.** 하나님은 예수님을 믿는 모든 사람이 하나님의 자녀가 될 수 있다고 약속하셨어요(요 1:11~13 참조). 예수님은 "누구든지 하늘에 계신 내 아버지의 뜻대로 하는 자가 내 형제요 자매요 어머니이니라"라고 말씀하셨어요(마 12:50 참조). 우리가 하나님을 하늘에 계신 아버지로 바라볼 때, 하나님은 우리를 하나님의 가족으로 받아 주세요.

보물 상자

나만의 기록장

준비물 **학생용 교재 6쪽, 연필 또는 색연필**

① 아이들에게 예수님과 예수님을 믿는 친구들, 그리고 가족들의 모습을 그림으로 그려 보라고 한다.

② 이제 우리는 예수님을 믿음으로 죄를 용서받고 하나님의 자녀가 되었다는 것을 다시 한번 일깨워 준다.

죄인들을 구원하시려는 하나님의 계획은 오랜 세월 동안 역사 속에서 이루어졌어요. 예수님의 가계에 속한 사람들을 살펴보면, 하나님의 신실하심과 사랑을 알게 되어요. 우리는 예수님을 통해 하나님의 자녀가 되었어요.

메시지 카드

준비물 **학생용 교재 51쪽 메시지 카드, 카드 고리, 펀치, 가위**

① 카드를 오리고 펀치로 구멍을 뚫어 고리로 연결하게 한다.

② 가방이나 지갑에 고리를 끼워 항상 휴대하면서 오늘 배운 성경 이야기를 수시로 기억하게 하고, 가족과도 함께 나눌 수 있도록 격려한다.

기도

하나님, 약속하신 예수님을 보내 주셔서 감사합니다. 예수님이 하나님께 순종해 십자가에서 우리 대신 죽으시고 살아나심으로 이제 우리는 죄를 용서받고 하나님의 자녀가 되었습니다. 그 크신 사랑과 은혜에 감사드립니다. 완전한 사람이시며 완전한 하나님이신 예수님이 이 땅에 오셨다는 것을 모든 사람에게 전할 수 있게 힘을 주세요. 예수님의 이름으로 기도합니다. 아멘.

2

마리아가 하나님을 찬양했어요

눅 1:26~56

단원 암송

하나님이 세상을 이처럼 사랑하사 독생자를 주셨으니 이는 그를 믿는 자마다 멸망하지 않고 영생을 얻게 하려 하심이라(요 3:16).

성경의 초점

예수님은 어떤 점에서 특별한가요?
예수님은 완전한 하나님이시며,
완전한 인간이세요.

본문 속으로

하나님의 백성은 수백 년 동안 하나님으로부터 분명한 말씀을 듣지 못했습니다. 그러던 어느 날 하나님의 천사인 가브리엘이 사가랴에게 나타나 그의 아내 엘리사벳이 아들을 낳을 것이라고 말했습니다. 아기의 이름을 요한이라 하라고 말했습니다. 그러고는 마리아에게 나타나 그녀가 아기를 낳을 것이고, 그 아기는 하나님의 아들이 될 것이라고 전했습니다.

마리아와 엘리사벳은 친척 사이였습니다. 엘리사벳과 남편 사가랴에게는 아기가 없었습니다. 게다가 엘리사벳은 나이가 들어 아기를 가질 수 없는 상황이었습니다. 10대 초반의 소녀였을 마리아는 처녀였고, 요셉과 약혼한 사이였습니다. 엘리사벳과 마리아가 임신하게 될 것이라는 선포는 두 여인에게 기적과 같은 일이었습니다. 두 아기의 탄생 모두 이사야 선지자가 예언했던 일이었습니다(사 7:14, 40:3 참조).

가브리엘 천사는 마리아에게 엘리사벳도 임신했다고 말했습니다. 마리아는 서둘러 엘리사벳을 만나러 갔습니다. 이 여행은 쉽지 않았을 것입니다. 마리아가 엘리사벳을 만나러 간 거리는 약 160km에 달했기 때문입니다. 마리아의 방문은 엘리사벳과 배 속의 아기 모두에게 기쁨을 주었습니다. 태어나지 않은 메시아의 방문에 아직 태아인 요한은 엘리사벳의 배 속에서 뛰놀았습니다. 엘리사벳은 성령의 충만함을 받아 말했습니다. "여자 중에 네가 복이 있으며 네 태중의 아이도 복이 있도다"(눅 1:42).

마리아가 엘리사벳을 방문한 이야기는 믿음으로 사는 여인의 놀라운 태도를 보여 줍니다. 어리고 아직 남자를 알지 못하는 마리아에게 임신은 큰 걱정거리가 아닐 수 없었습니다. 그러나 마리아는 걱정하는 대신 하나님을 신뢰했습니다. 마리아의 찬양은 마리아가 하나님의 말씀을 이해하고 하나님이 어떤 분이신지 이해하고 있었다는 것을 보여 줍니다.

티칭 포인트

마리아는 하나님을 찬양했습니다. 약속된 메시아가 이 땅에 온다는 것은 기쁜 소식이었기 때문입니다! 사람들이 오랫동안 메시아를 기다려 왔다는 것을 아이들이 이해할 수 있도록 도와주십시오. 예수님의 어머니가 되는 것은 결코 쉬운 일이 아니었지만, 마리아는 하나님의 뜻대로 이루어질 것을 믿고 의지했다는 사실을 말해 주십시오.

주 제

하나님은 마리아를 예수님의 어머니로 선택하셨어요.

가스펠 링크

마리아가 순종해서 하나님께 영광을 돌렸듯이 예수님은 사람들을 죄에서 구원하기 위해 기꺼이 십자가에서 죽으심으로 하나님께 영광을 돌리셨어요.

마리아가 하나님을 찬양했어요 눅 1:26~56

어느 날 하나님은 가브리엘이라는 천사를 갈릴리 지방에 있는 작은 동네 나사렛으로 보내셨어요. 천사는 마리아라는 어린 처녀를 찾아갔어요. 마리아는 다윗 왕의 후손인 요셉과 약혼한 사이였어요.

천사는 마리아에게 "기뻐하라! 네가 하나님께 은혜를 입었다. 하나님이 너와 함께하신다"라고 말했어요. 마리아는 너무 무섭고 혼란스러웠어요. 자신이 무언가 특별한 일을 한 것도 아닌데, 왜 하나님이 자신에게 은혜를 주시는지 알 수 없었어요. 천사는 마리아에게 무서워하지 말라고 말했어요. 그러고는 이제 마리아가 매우 특별한 아기를 갖게 될 것이고, 아기의 이름을 '예수'라 하라고 전했어요. '예수'라는 이름은 '여호와는 구원이시다'라는 뜻이에요. 천사는 그 아기가 큰 자가 될 것이고, 하나님의 아들이라고 불릴 것이라고 했어요! 그리고 왕이 될 것이라고도 말했어요. 하나님이 약속하신 왕 말이에요.

마리아가 천사에게 말했어요. "아직 결혼하지 않은 저에게 어떻게 이런 일이 일어날 수 있나요?"

천사는 "성령이 네게 임하실 것이며 지극히 높으신 분의 능력이 너를 감싸 주실 것이다. 태어날 아기는 하나님의 아들이라고 불릴 것이다"라고 대답했어요.

천사가 계속해서 말했어요. "하나님께는 불가능한 일이 전혀 없다!" 그는 마리아의 친척인 엘리사벳도 아기를 가졌다고 알려 주었어요. 엘리사벳은 나이가 많았고 아기를 갖지 못했거든요. 마리아는 "저는 주의 여종입니다. 말씀대로 내게 이루어지기를 원합니다"라고 대답했어요.

마리아는 서둘러 엘리사벳의 집으로 갔어요. 마리아가 도착하자 엘리사벳의 배 속에 있던 아기가 기뻐 뛰놀기 시작했어요! 엘리사벳이 성령으로 충만해져 말했어요. "당신은 복을 받았고 배 속의 아기도 복을 받았습니다!"

마리아는 정말 기뻤어요. 그리고 하나님의 위대하심을 찬양했어요. 마리아는 하나님이 예수님을 통해서 하실 놀라운 일들로 인해 모든 후손이 자기를 보고 복 있다고 말할 것이라고 노래했어요. 하나님은 예수님을 통해 세상에 복 주겠다고 하신 하나님의 약속을 이루고 계세요.

마리아는 엘리사벳의 집에서 3달 동안 머물다 집으로 돌아갔어요.

가스펠 링크

마리아는 예수님의 어머니가 될 것이라는 하나님의 계획에 순종함으로 하나님께 영광을 돌렸어요. 이와 마찬가지로 예수님도 사람들을 죄에서 구원하기 위해 기꺼이 십자가에서 죽으심으로 하나님께 영광을 돌리셨어요.

가스펠 준비
(10~20분)

*는 선택 활동입니다.

환영

도착하는 아이들을 반갑게 맞이하고 헌금, 출석, QT 등을 확인하며 격려한다. 새 친구가 있다면 소개한다. 편안한 분위기에서 안부를 물으며 오늘의 말씀과 관련된 화제로 이야기를 나눈다. 아이들에게 각자 맡은 역할에 대해 생각해 보라고 한다. 자발적으로 대화에 참여하도록 이끈다.

예) "지금까지 맡은 일 중에 가장 큰 책임이 필요했던 일은 무엇이었나요?", "그 일을 잘 수행했나요? 그때 기분이 어땠나요?" 등.

— 한번도 맡아 본 적 없는 큰일을 맡게 되면 부담감을 느낄 수 있어요. 스트레스를 받을 수도 있고요. 오늘 성경 이야기에서 마리아는 어린 나이에 큰일을 맡게 되었어요. 어떤 일이었는지 함께 알아보아요.

마음 열기

기쁨의 이야기 *

① 아이들을 2팀으로 나누고, 이제 곧 기쁜 소식을 발표할 것이라고 말한다.

② 아이들에게 인도자가 전하는 소식을 사실이라고 생각하며 반응해야 한다고 일러 준다.

③ 인도자가 전한 내용이 기쁜 소식이라고 생각하면 소리치며 환호하고, 아주 기쁜 소식이라고 생각하면 더 큰 소리로 환호하라고 한다.

④ 기쁜 소식을 하나씩 말해 준다.

예) · 폭설이 내려 1주일간 학교가 문을 닫게 되었어요.

· 오늘 식당에 여러분이 가장 좋아하는 음식이 나온다고 해요.

· 친구의 생일 파티에 초대를 받았어요.

· 가장 좋아하는 가수의 공연을 볼 수 있는 표를 얻었어요.

· 부모님이 이제 곧 동생이 생긴다고 말씀하셨어요.

⑤ 먼저 한 팀이 반응하도록 한 뒤, 다른 팀으로 넘어간다.

— 오늘 성경 이야기에서는 마리아가 하나님을 찬양한 이야기를 배울 거예요. 천사가 마리아에게 정말 기쁜 소식을 전했거든요.

가능할까요? 불가능할까요? *

준비물 색인 카드, 연필

① 아이들에게 색인 카드와 연필을 하나씩 나누어 준다.

② 색인 카드에 자신의 이름을 쓰고, 자신이 가진 특별한 재능이나 능력을 쓰라고 한다.

③ 아이들의 카드를 모두 모은 뒤, 재능이나 능력을 한 번에 하나씩 읽는다.

④ 카드를 읽은 후 아이들에게 "가능할까요? 불가능할까요?"라고 묻고, 아이들의 대답을 기다린다.

⑤ 이 카드의 주인공이 누구인지 아이들에게 맞혀 보라고 한다.

⑥ 카드의 주인공을 일으켜 세우고, 아이가 원하면 자신의 재능을 보일 수 있게 한다.

⑦ 모든 카드를 읽을 때까지 놀이를 진행한다.

— 여기에는 각자가 할 수 있는 특별한 재능들이 쓰여 있어요. 어떤 것들은 불가능해 보이기도 해요! 오늘의 성경 이야기에서 천사는 마리아에게 놀라운 일이 일어날 것이라고 말했어요. 천사는 "하나님께는 불가능한 일이 없다!"라고 말했어요. 어떤 일이 있었는지 함께 알아보아요.

교사를 위한 기록장 이 과를 준비하면서 깨닫게 된 묵상을 정리해 보세요.

· 하나님이나 나에 대해 새롭게 알게 된 것은?

· 기억하고 싶은 하나님의 약속은?

· 아이들에게 전하고 싶은 메시지는?

가스펠 **설교**
(15~30분)

들어가기

준비물 **배낭, 공책, 성경**

배낭을 메고, 공책과 성경을 들고 들어온다. 소품을 내려놓고 활짝 웃으며 아이들에게 말을 건다.

와! 정말 멋진 날이에요! 조금 전에 전화를 받았는데 가까운 친척이 곧 아기를 낳을 거래요! 정말 신나요! 저는 아기를 좋아하거든요. 갓난아기들은 너무 귀여워서 꼭 안아주고 싶어요. 여러분 중에 아기가 태어난다는 소식을 들어 본 사람이 있나요? 기분이 어땠어요? 아이들의 대답을 기다린다. 그 소식을 듣고 기분이 좋았던 친구들도 있고, 아기로 인해 생길 변화가 두려웠던 친구들도 있을 거예요. 그러나 모든 아기는 하나님이 주신 특별한 선물이랍니다. 오늘의 성경 이야기를 빨리 나누고 싶어요. 성경 이야기에서 천사가 마리아라는 젊은 여인에게 아기를 낳게 될 것이라고 말하거든요. 더 놀라운 것은 이 아기가 하나님의 아들이라는 거예요! 정말 놀랍지요?

연대표

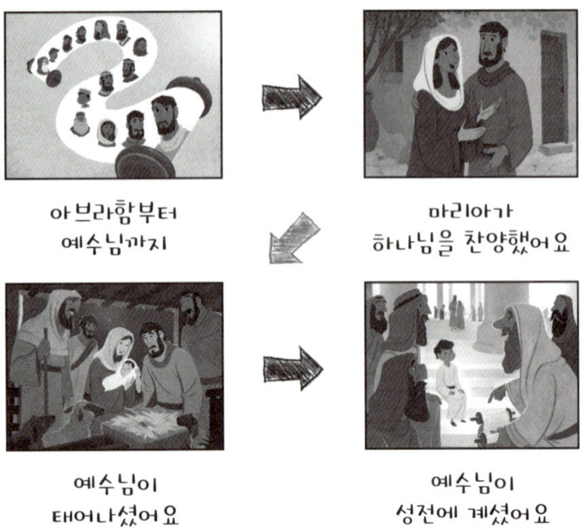

구약성경은 대부분 이스라엘 백성에 관한 이야기예요. 이스라엘 백성에게는 큰 문제가 있었어요. 바로 죄 때문에 하나님에게서 멀어졌다는 것이에요. 그러나 하나님은 그들을 다시 하나님께 인도할 계획을 갖고 계셨어요. 하나님은 선지자들을 통해 메시아를 보내겠다고 약속하셨어요. 사람들은 하나님이 어떻게 약속을 지키실지 정확하게 알지 못했지만, 그래도 하나님을 신뢰했어요. 연대표에서 오늘의 성경 이야기를 가리킨다. 오늘 우리는 성경 이야기를 통해 하나님이 메시아를 어떻게 이 땅에 보내셨는지 살펴볼 거예요.

성경의 초점

우리가 계속해서 배우고 있는 '성경의 초점' 질문은 **"예수님은 어떤 점에서 특별한가요?"**예요. '성경의 초점' 질문의 답을 알고 있는 친구가 있나요? 아이들의 대답을 기다린다. 맞아요. **예수님은 완전한 하나님이시며, 완전한 인간이세요.** 하나님의 아들이신 예수님은 사람들을 죄에서 구원하기 위해 이 땅에 오셨어요. 오늘의 성경 이야기를 듣는 동안 이 사실을 꼭 기억하세요.

성경 이야기

DVD 누가복음 1장을 펴고, 설교 영상(지도자용 팩)을 보여 주거나 이야기 성경을 들려준다. 이야기를 들려줄 때, 천사의 대사가 나오는 부분에서 한쪽으로 몸을 돌려 이야기하고, 마리아의 대사가 나오는 부분에서는 반대로 몸을 돌려 마치 천사를 쳐다보고 말하는 것처럼 들려주어도 좋다. 또는 교사 한 명이 긴 원피스를 입고 머리와 어깨 위에 스카프를 둘러 마리아 역할을 하게 한 후, 성경 이야기를 따라 적절한 표정을 지어도 좋다.

기억하세요? 이스라엘 사람들은 하나님이 약속하신 메시아를 오랫동안 기다렸어요. 구약성경의 마지막 부분에서 말라기 선지자는 메시아의 길을 예비할 하나님의 심부름꾼이 올 것이라고 예언했어요. 이 예언이 있고 난 뒤 400년 동안 하나님은 침묵하셨어요. 사람들은 기다렸지요. 어떤 사람들은 하나님이 아직도 그들과 함께하시는지 궁금했을 거예요. 시간이 흘러, 하나님은 천사를 통해 말씀하셨어요! 마리아는 자신이 아기를 갖게 될 것이라는 사실을 알게 되었어요. 그것도 하나님의 아들을요! 마리아의 친척인 엘리사벳도 아기를 갖게 되었어요. 엘리사벳의 아기는 말라기 선지자가 말한 예수님의 길을 준비하는 자가 될 거예요.

하나님이 마리아를 예수님의 어머니로 선택하셨다는 소식을 들었을 때 마리아는 어떤 기분이었을까요? 마리아는 하나님이 어떻게 이런 일을 할 수 있는지 궁금했어요. 천사는

"하나님께는 불가능한 일이 전혀 없다!"라고 말했어요. 마리아는 엘리사벳이 임신한 것을 보고 천사가 한 말이 사실이라는 것을 확신하게 되었어요.
마리아는 하나님을 찬양했어요! 그리고 하나님이 말씀하신 대로 이루어질 것이라고 믿었어요. 이제 하나님은 오래전에 아브라함에게 하신 약속을 이루려고 하세요. 마리아의 아기는 세상의 구세주가 될 거예요.
예수님도 자라면서 하나님 아버지께 찬양을 드렸어요. 예수님은 죄인을 구원하시려는 하나님의 계획을 기꺼이 따랐어요. 하나님의 계획을 따르는 것은 쉬운 일이 아니었어요. 예수님은 사람들을 죄에서 구원하기 위해 자신의 생명을 버리고 십자가에서 죽으셨어요. 예수님을 주님이자 구원자로 믿고 신뢰하는 것은 쉬운 일이 아니에요. 그러나 우리를 위한 하나님의 계획에 기꺼이 순종할 때, 우리는 하나님께 영광을 돌릴 수 있어요.

가스펠 링크

천사 가브리엘이 마리아에게 하나님의 아들의 어머니가 될 것이라고 말했을 때, 마리아는 어떻게 반응했나요? 자원하는 아이에게 누가복음 1장 38절을 큰 소리로 읽게 한다. 마리아는 기꺼이 하나님의 계획을 따르기로 했어요. 예수님의 어머니가 되는 것은 쉬운 일이 아니지만, 마리아는 하나님을 찬양했어요.
예수님도 자라면서 하나님께 찬양을 드렸어요. 예수님은 죄인을 구원하시려는 하나님의 계획을 기꺼이 따랐어요. 하나님의 계획을 따르는 것은 쉬운 일이 아니었어요. 예수님은 사람들을 죄에서 구원하기 위해 자신의 생명을 버리고 십자가에서 죽으셨어요. 예수님을 주님이자 구원자로 믿고 신뢰하는 것은 쉬운 일이 아니에요. 그러나 우리를 위한 하나님의 계획에 기꺼이 순종할 때, 우리는 하나님께 영광을 돌릴 수 있어요.

복음 초청

성경과 103쪽 복음 초청 가이드를 이용해서 아이들에게 그리스도인이 되는 법을 설명해 준다. 따로 상담해 줄 사람을 정해 주고 궁금한 점이 있으면 물어보도록 격려한다.
이 시간 예수님을 마음에 모시고 싶은 친구는 함께 기도해요.

기도

하나님, 태초부터 우리를 구원하기 위한 계획을 세우시고 이루어 주셔서 감사합니다. 하나님은 약속하신 대로 예수님을 아브라함과 다윗의 자손으로 보내 우리를 죄에서 구하시고 온 세상에 복 주셨습니다. 가장 크고 기쁜 소식인 예수님을 다른 사람들에게 전할 수 있도록 도와주세요! 예수님의 이름으로 기도합니다. 아멘.

적용

TIP 설교 도입이나 적용으로 활용하거나 영상을 본 뒤 소그룹으로 나누어 풍성한 대화를 이어 갈 수 있습니다.

하나님은 마리아를 예수님의 어머니로 선택하셨어요. 예수님의 어머니가 되는 것을 받아들이기는 쉽지 않았을 거예요! 누군가 여러분에게 어려운 일을 하도록 요청한 적이 있나요? 이 질문을 생각하며 영상을 함께 보아요.
적용 예화 영상(지도자용 팩)을 보여 준다.
벤저민은 엄마의 요청에 어떻게 반응할 수 있을까요? 어려운 일이 생길 때 여러분은 어떻게 반응하나요? 어려운 상황에서 어떻게 반응해야 우리가 하나님을 믿는다는 것을 다른 사람들이 알게 될까요?
우리는 어려움과 고통이 있더라도 기꺼이 하나님의 계획을 따라갈 수 있어요. 하나님께 기꺼이 순종함으로써 하나님이 선하시고 모든 것을 주관하신다는 것을 믿는다는 사실을 보여 줄 수 있어요. 또한 하나님께 순종할 때 사람들은 우리가 하나님을 경외하고 우리 자신의 계획이나 욕심보다 하나님을 더 중요하게 여긴다는 것을 알게 될 거예요.

가스펠 소그룹
(10~20분)

나침반

다시 제자리

준비물 **1단원 암송**(108쪽), **도화지**(팀 수만큼), **사인펜, 가위, 스톱워치**

① 3~5명이 한 팀이 되도록 팀을 나눈다. 도화지에 큰 원을 그리고 가위로 자른다.

② 요한복음 3장 16절을 종이에 각각 적고, 8조각으로 다시 자른다.

③ 조각을 섞어 아이들에게 나누어 주고, 제한 시간 안에 조각을 맞추어 1단원 암송을 완성하라고 한다.

④ 1단원 암송을 완성하면 함께 큰 소리로 읽은 후, 아래의 질문을 통해 성경 이야기를 복습한다.

1 요한복음은 구약성경에 있나요? 신약성경에 있나요? 신약성경

2 하나님이 독생자 예수님을 이 세상에 보내신 이유는 무엇인가요?
사람들을 죄에서 구원하시려고

— 이 말씀은 신약성경에 있는 요한복음 3장에 있어요. 예수님은 성자 하나님이시지만, 사람의 모습으로 이 세상에 오셨어요. 사람들을 죄에서 구하기 위해서 하나님이 예수님을 보내셨어요! 예수님은 사람의 모습으로 오셨지만, 여전히 성자 하나님이셨어요. 이것이 바로 예수님이 특별한 이유예요!

보물 지도

짝을 찾아라!

준비물 **성경, 사인펜, 색인 카드, 큰 봉투 2장**

① 색인 카드에 질문을 각각 적은 후 봉투에 넣어 둔다. 다른 색인 카드에는 질문의 답과 참고할 성경 구절을 각각 적은 후 다른 봉투에 넣어 둔다.

② 아이들에게 봉투에서 질문과 답이 적힌 색인 카드를 하나씩 꺼내라고 한다.

③ 자신들이 뽑은 질문과 답을 한 사람씩 순서대로 크게 읽으라고 한다.

④ 아이들이 뽑은 질문과 답이 일치하면 그 색인 카드를 갖게 한다.

⑤ 질문과 답이 일치하지 않으면, 답을 가지고 있는 아이에게서 답을 가져오게 한다.

⑥ 도움이 필요하면 성경에서 참고 구절을 찾아보게 한다.

1 누가 마리아에게 아기를 갖게 될 것이라는 소식을 전했나요?
천사 가브리엘 (눅 1:26~27, 31)

2 마리아는 누구와 약혼했나요?
요셉 (눅 1:27)

3 마리아는 천사의 말을 듣고 어떻게 반응했나요?
놀라고 두려워했다 (눅 1:29~30)

4 천사는 마리아에게 아기의 이름이 무엇이라고 말했나요?
예수 (눅 1:31)

5 천사는 아기가 누구의 아들이 될 것이라고 말했나요?
지극히 높으신 이의 아들 또는 하나님의 아들 (눅 1:32, 35)

6 천사는 마리아 외에 누가 또 아기를 가질 것이라고 말했나요?
마리아의 친척 엘리사벳 (눅 1:36)

7 마리아가 엘리사벳의 집에 방문하자 엘리사벳의 아기는 어떻게 했나요?
엘리사벳의 배 속에서 기쁨으로 뛰놀았다 (눅 1:44)

8 마리아는 어떻게 하나님을 찬양했나요?
노래로 하나님을 찬양했다 (눅 1:46~55)

— **하나님은 마리아를 예수님의 어머니로 선택하셨어요.** 천사가 마리아에게 하나님 아들의 어머니가 될 것이라고 말했을 때, 마리아는 어떻게 반응했나요? 자원하는 아이에게 누가복음 1장 38절을 큰 소리로 읽게 한다. 마리아는 기꺼이 하나님의 계획을 따르기로 했어요. 큰 책임이 필요한 일이었지만 마리아는 정말 기뻤어요.

탐험하기

다른 곳을 찾아라!

준비물 **학생용 교재 8쪽, 연필**

① 아이들에게 두 그림을 잘 살펴보라고 한다.

② 서로 다른 부분 10곳을 찾아 ○표 하라고 한다.

— 마리아와 요셉은 하나님이 예수님을 이 세상에 보내는 계획을 이루는 데 중요한 역할을 했어요. 천사가 마리아에게 장차 하나님 아들의 어머니가 될 것이라는 소식을 전했을 때 마리아가 어떻게 반응했는지 기억하나요? 예수님의 어머니가 된다는 것을 받아들이기 쉽지 않았겠지만, 마리아는 하나님의 말씀에 순종하고 하나님을 찬양했어요.

특별한 목적

준비물 **학생용 교재 9쪽, 연필**

① 아이들에게 그림 암호를 풀고 빈칸에 알맞은 글자를 넣어 주제 문장을 완성해 보라고 한다.

② 완성한 문장을 함께 큰 소리로 읽는다.

— 하나님은 엘리사벳에게도 특별한 아들을 주셨어요. 엘리사벳의 아들은 하나님의 계획을 위해 중요한 일을 하게 되지만, 다른 사람들처럼 평범한 사람이었어요. 하지만 마리아의 아기는 달랐어요. **하나님은 마리아를 예수님의 어머니로 선택하셨어요. 예수님은 어떤 점에서 특별한가요? 예수님은 완전한 하나님이시며, 완전한 인간이세요.** 예수님만이 죽음과 부활을 통해 우리를 죄에서 구원하시고 하나님께 가까이 갈 수 있게 해 주세요.

악기로 하나님을 찬양해요 *

DVD **준비물** **상자**(뚜껑이 있는 통), **접착테이프, 빈 티슈 상자, 고무 밴드, 색종이, 사인펜, 긴 나무 막대, 방울, 모루**(철사 끈), **1단원 찬양 '조이풀 댄스'**(지도자용 팩 또는 홈페이지)

① 아이들에게 재료를 나누어 주고 간단한 악기를 만들어 보라고 한다.

② 드럼, 기타 또는 리듬 스틱 만드는 방법을 아이들에게 알려 준다.

- 드럼 - 상자의 옆면에 색종이를 붙이고, 사인펜으로 꾸민다.
- 기타 - 빈 티슈 상자의 옆면에 색종이를 붙이고 장식한다. 상자의 입구를 가로질러 세로로 고무 밴드를 몇 개 감는다. 고무 밴드를 부드럽게 튕겨 소리를 낸다.
- 리듬 스틱 - 나무 막대를 사인펜으로 꾸민다. 모루에 방울을 단다. 모루를 나무 막대에 줄기를 감듯이 감는다. 막대를 흔들어 방울 소리가 나게 한다.

③ 아이들이 악기를 만드는 동안 1단원 찬양 '조이풀 댄스'를 반복해서 들려준다.

④ 악기를 완성하면 아이들과 함께 악기를 연주하며 찬양한다.

— **하나님은 마리아를 예수님의 어머니로 선택하셨어요.** 마리아는 하나님을 찬양했어요. 찬양은 하나님을 경배하고 예배하는 한 가지 방법이에요. 하나님은 우리의 찬양을 받으시기 합당한 분이에요. 하나님께는 불가능한 일이 없어요!

보물 상자

나만의 기록장

준비물 **학생용 교재 10쪽, 연필**

아이들에게 하나님의 계획을 따르는 방법들을 적은 후, 이번 주에 실천할 방법을 한 가지 선택해 보라고 한다.

메시지 카드

이번 주 메시지 카드로 부모님과 함께 오늘 배운 성경 이야기를 나누어 보라고 한다.

기도

하나님, 하나님은 약속한 일을 꼭 이루시는 신실하신 분입니다. 그런 하나님을 늘 의지하며 신뢰할 수 있도록 도와주세요. 예수님이 십자가에서 죽으시고 살아나심으로 우리를 죄에서 구원하신 이 기쁜 소식을 다른 사람들에게 전할 수 있도록 우리를 인도해 주세요. 날마다 하나님의 영광을 위해 살아가게 해 주세요. 예수님의 이름으로 기도합니다. 아멘.

3 예수님이 태어나셨어요

마 2:1~12; 눅 2:1~20

단원 암송

하나님이 세상을 이처럼 사랑하사 독생자를 주셨으니 이는 그를 믿는 자마다 멸망하지 않고 영생을 얻게 하려 하심이라(요 3:16).

성경의 초점

예수님은 어떤 점에서 특별한가요?
예수님은 완전한 하나님이시며,
완전한 인간이세요.

본문 속으로

아우구스투스 황제가 인구 조사를 한 것(호적 등록을 하게 한 것)이 과연 우연일까요? 마리아와 요셉이 예수님이 탄생하실 장소로 예언된 베들레헴에 가게 된 것(미 5:2 참조)은 우연일까요? 하나님은 하나님의 계획을 이루는 데 이방인 정복자를 사용하심으로써 하나님이 만물의 주관자라는 사실을 보이셨습니다.

예수님이 태어나자 마리아는 아기 예수님을 구유에 뉘었습니다. 구유에 누인 왕! 앞뒤가 맞지 않는 것처럼 보입니다. 그러나 예수님은 평범한 아기가 아니셨습니다. 예수님은 가장 겸손한 모습으로 이 땅에 오신 하나님의 아들이십니다. "인자가 온 것은 섬김을 받으려 함이 아니라 도리어 섬기려 하고 자기 목숨을 많은 사람의 대속물로 주려 함이니라"(마 20:28).

천사가 갑자기 나타났을 때 목자들이 느꼈을 놀라움을 상상해 보십시오. 성경은 목자들이 두려워했다고 전합니다! 천사는 목자들에게 "무서워하지 말라 보라 내가 온 백성에게 미칠 큰 기쁨의 소식을 너희에게 전하노라 오늘 다윗의 동네에 너희를 위하여 구주가 나셨으니 곧 그리스도 주시니라"(눅 2:10~11)라고 말했습니다.

이스라엘 백성은 자신들에게 구세주가 필요하다는 사실을 잘 알고 있었습니다. 그래서 매일 속죄의 제사를 드렸습니다. 마침내 모든 죄를 단번에, 영원히 대속할 구세주가 오신 것입니다.

●● 티칭 포인트

예수님은 구세주이자 우리의 왕으로 이 땅에 오셨다는 사실을 아이들에게 알려 주십시오. 얼마 후 동방박사들이 아기 예수님을 찾아와 경배했습니다. 그들은 예수님께 왕에게 합당한 예물인 황금과 유향과 몰약을 드렸습니다. 예수님은 하나님이 다윗에게 약속하셨던 영원한 왕이십니다.

주 제

약속하신 메시아로 예수님이 오셨어요.

가스펠 링크

예수님의 탄생은 복음이에요. 하나님의 아들이신 예수님은 사람들을 죄에서 구원하고 그들의 왕이 되기 위해 이 땅에 오셨어요.

예수님이 태어나셨어요 마 2:1~12; 눅 2:1~20

마리아가 아기 예수님을 임신했을 때, 로마의 통치자인 아우구스투스 황제는 모든 사람이 *호적 등록을 해야 한다고 명령했어요. 이 때문에 사람들은 고향으로 돌아가야 했어요. 다윗의 후손이었던 요셉은 마리아와 함께 나사렛의 집을 떠나 다윗의 동네인 베들레헴으로 향했어요.

베들레헴에 머무는 동안 마리아가 아기를 낳을 때가 다가왔어요. 마리아와 요셉은 아기를 낳을 수 있는 안전한 장소를 찾았지만 머물 곳이 없었어요. 많은 사람이 호적 등록을 위해 베들레헴에 와 있었기 때문이에요. 할 수 없이 마리아와 요셉은 가축을 기르는 곳에서 아기를 낳았어요. 마리아는 아기 예수님을 포근하게 천에 싸서 가축의 먹이를 담아 두는 구유에 뉘었어요.

한편 목자들은 근처 들판에서 양 떼를 지키고 있었어요. 그때 하나님의 천사가 목자들에게 나타났어요. 밝은 빛이 그들을 비추었어요. 목자들은 겁이 났어요!

천사가 말했어요. "두려워하지 마라! 내가 모든 백성에게 큰 기쁨이 될 좋은 소식을 너희에게 알려 준다. 오늘 구주이신 주 그리스도가 다윗의 동네에서 태어나셨다." 천사는 또 "너희는 천에 싸여 구유에 누워 있는 아기를 볼 것이다"라고 말했어요.

갑자기 많은 천사가 나타나더니 "지극히 높은 곳에서는 하나님께 영광이요 땅에서는 하나님이 기뻐하신 사람들 중에 평화로다!"라고 말하며 하나님을 찬양했어요.

목자들은 곧바로 아기 예수님을 찾으러 베들레헴으로 향했어요. 이윽고 마리아와 요셉, 그리고 구유에 누인 아기를 발견했어요. 목자들은 사람들에게 아기 예수님에 관해 들은 것을 전했어요. 이 이야기를 들은 사람들은 모두 놀랐어요. 목자들은 하나님을 찬양하며 돌아갔어요. 모든 일이 천사가 말한 대로 이루어졌기 때문이에요.

얼마 후 동방 박사들이 아기 예수님을 찾아왔어요. 그들은 동방에서 한 별을 보았어요. 이 별은 하나님이 예수님을 이 땅에 보내셨다는 표시였지요. 동방 박사들은 헤롯왕에게 가서 말했어요. "유대 사람의 왕으로 태어나신 분이 어디 계십니까? 우리가 동방에서 그의 별을 보고 경배하려고 왔습니다."

새로운 왕이라니! 헤롯은 화가 났어요. 그는 몰래 동방 박사들을 불러 말했어요. "가서 샅샅이 뒤져 그 아기를 꼭 찾으라. 그리고 찾거든 나에게도 알리라. 나도 가서 아기에게 경배할 것이다." 그러나 헤롯의 말은 거짓이었어요. 그는 새로운 왕을 경배할 생각이 없었어요. 오히려 새로운 왕을 죽이고 싶었어요!

예수님을 찾은 동방 박사들은 엎드려 경배했어요. 그들은 아기 예수님께 황금과 유향과 몰약을 예물로 드렸어요. 동방 박사들이 돌아갈 때가 되자, 그들은 꿈에서 헤롯에게 돌아가지 말라는 말씀을 들었어요. 그래서 다른 길을 따라 자기 나라로 돌아갔어요.

●● 가스펠 링크

예수님의 탄생은 복음이에요. 예수님은 평범한 아기가 아니었어요. 하나님의 아들이신 예수님은 사람들을 죄에서 구원하고 그들의 왕이 되기 위해 이 땅에 오셨어요.

*호적 등록 : 인구 조사를 위해 가족별로 이름, 생년월일 등을 기록하는 것

가스펠 **준비**
(10~20분)

★는 선택 활동입니다.

환영

도착하는 아이들을 반갑게 맞이하고 헌금, 출석, QT 등을 확인하며 격려한다. 새 친구가 있다면 소개한다. 편안한 분위기에서 안부를 물으며 오늘의 말씀과 관련된 화제로 이야기를 나눈다. 다른 지역으로 여행을 떠난 적이 있는지 물어본다. 무엇을 타고 여행했는지 물어본다. 자발적으로 대화에 참여하도록 이끈다.

예) "여행을 떠난 적이 있나요?", "가장 멀리 여행한 곳은 어디인가요?", "그곳에 도착하기까지 얼마나 걸렸나요?", "무엇을 타고 여행했나요?" 등.

— 오늘 성경 이야기에는 아주 멀리 여행했던 사람들의 이야기가 나와요. 그 당시에는 자동차도 없었고, 비행기도 없었어요. 어느 곳을 여행하든 목적지에 도착하기까지 시간이 오래 걸렸지요. 어떤 여행이었을지 한번 상상해 보세요.

마음 열기

왕을 위한 선물 ★

준비물 **A4용지, 연필, 성경**

① 아이들을 3팀으로 나누고, 각 팀에 연필과 A4용지를 나누어 준다.

② 갓 태어난 아기에게 선물로 줄 수 있는 물건들을 써 보라고 한다.

예) 블록, 퍼즐, 장난감 자동차, 기차, 책 등.

③ 팀별로 작성한 선물 목록을 발표하게 한 후, 성경에서 마태복음 2장 11절을 찾아 함께 큰 소리로 읽는다.

— 오늘 성경 이야기에는 어떤 지혜로운 사람들이 아기 예수님을 만나러 와요. 그들은 예수님께 드릴 아주 특별한 선물들을 가져왔어요. 무엇을 가져왔으며, 왜 가져왔는지 이제 배울 거예요.

꼭꼭 숨은 물건을 찾아요 ★

준비물 **화이트보드, 보드마커, 책상, 숨길 물건들**(클립보드, 젖병, 담요 또는 천 조각, 장난감 양, 신문, 별 모형, 종이 왕관, 선물 가방)

① 준비한 물건을 예배실 곳곳에 미리 숨겨 둔다.

② 화이트보드에 숨긴 물건의 목록을 적고, 아이들과 함께 읽는다.

③ 아이들에게 숨긴 물건을 찾게 하고, 찾은 물건들은 책상 위에 나란히 올려 둔다.

— 물건들을 찾느라 수고 많았어요! 이 물건들은 오늘의 성경 이야기와 관련이 있어요. 이 물건들이 왜 중요한지 오늘 성경 이야기에 귀를 기울여 보세요.

교사를 위한 기록장 이 과를 준비하면서 깨닫게 된 묵상을 정리해 보세요.

· 하나님이나 나에 대해 새롭게 알게 된 것은?

· 기억하고 싶은 하나님의 약속은?

· 아이들에게 전하고 싶은 메시지는?

가스펠 설교
(15~30분)

들어가기

준비물 **선물 상자, 성경, 탁자**

물건들을 담은 선물 상자를 들고 들어온다.

안녕하세요, 여러분! 만나서 반가워요. 선물 상자를 들어 보이며 기쁜 소식이 있어요. 우리 가족이 점점 늘어나고 있어요. 제 친척 중 한 명이 방금 아기를 낳았거든요. 어떤 선물을 주어야 할지 고민이에요. 누구 좋은 생각 있어요? 아이들의 대답을 기다린다. 흥미로운 생각들이에요. 고마워요! 탁자에 선물 상자를 내려놓고 성경을 집어 든다. 오늘의 성경 이야기는 예수님의 탄생에 관한 이야기예요. 예수님이 태어나셨을 때 사람들은 예수님께 선물을 드렸어요. 오늘 성경 이야기를 잘 들으면 방금 태어난 아기에게 무엇을 선물하면 좋을지 알게 될지도 모르겠어요.

연대표

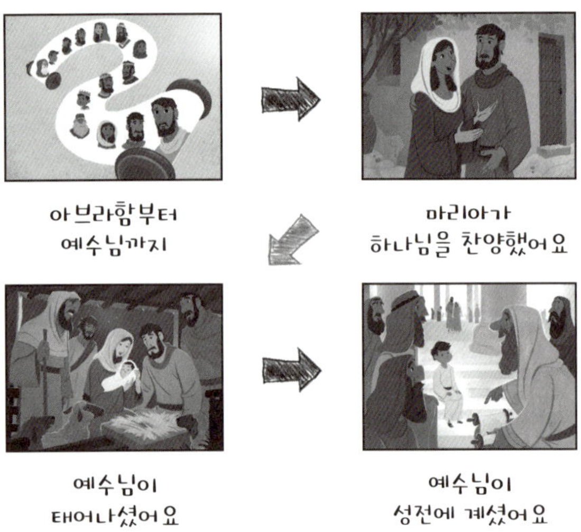

성경은 작은 이야기들로 구성되어 있지만, 그 이야기들이 모여 하나의 큰 이야기를 이룬다는 사실을 기억하세요. 그 큰 이야기는 바로 하나님이 사람들을 죄에서 구원하기 위해 예수님을 보내셨다는 거예요. 우리는 지난주에 천사가 마리아에게 곧 아기를 갖게 될 것이고, 그 아이는 하나님의 아들이며, 온 세상을 구원할 구세주가 될 것이라는 소식을 전한 내용을 배웠어요. 연대표에서 오늘의 성경 이야기를 가리킨다. 오늘의 성경 이야기는 "예수님이 태어나셨어요"예요. 천사가 말한 그 일이 실제로 일어난 거예요.

성경의 초점

먼저 '성경의 초점' 질문을 함께 살펴보아요. **"예수님은 어떤 점에서 특별한가요?"** 아주 좋은 질문이지요. 매년 많은 아기가 태어나요. 하지만 예수님이 왜 태어나셨는지 생각해 본 적 있나요? 아이들의 대답을 기다린다.

예수님은 어떤 점에서 특별한가요? 맞아요! **예수님은 완전한 하나님이시며, 완전한 인간이세요.** 하나님은 아들인 예수님을 하늘에서 이 땅으로 보내셨어요. 예수님은 인간의 모습으로 오셨지만, 하나님의 아들이라는 신분까지 포기하신 것은 아니었어요.

성경 이야기

DVD 마태복음 2장과 누가복음 2장을 펴고, 설교 영상(지도자용 팩)을 보여 주거나 이야기 성경을 들려준다. 이야기를 들려줄 때 이야기와 연관된 물건들을 보여 주어도 좋다(클립보드, 젖병, 담요, 장난감 양, 신문, 별 모형, 종이 왕관, 선물 상자 등). 또는 성탄 카드에서 마리아, 요셉, 아기 예수, 목자, 천사, 그리고 성경 이야기와 관련된 물건들을 찾아 오린 후, 이야기를 하면서 해당하는 그림을 벽에 붙여도 좋다.

아마 여러분은 이 성경 이야기를 들어 보았을 거예요. 우리는 일 년 중 언제 예수님의 탄생을 축하하나요? (성탄절) 오늘 성경 이야기를 얼마나 잘 기억하는지 확인해 볼까요?

선물 가방에서 물건을 하나씩 꺼내며, 그것들이 얼마나 중요한지 설명한다. 8명의 지원자를 뽑아 물건을 하나씩 들게 한다.

나사렛에 살던 마리아와 요셉은 호적 등록을 하기 위해 베들레헴으로 갔어요. 클립보드를 든다. 호적 등록이란 인구 조사를 위해 가족별로 이름, 생년월일 등을 기록하는 것이에요. 그들이 베들레헴에 머물고 있을 때, 마리아가 아기를 낳았어요. 젖병을 든다. 아기 예수님이 태어나자, 마리아는 아기를 천으로 감쌌어요. 담요를 든다. 베들레헴 근처에 있던 목자들에게 천사가 나타났어요. 장난감 양을 든다. 천사는 목자들에게 기쁜 소식을 알려 주었어요. 신문을 든다. "오늘 다윗의 동네에서 너희를 위하여 구주가 나셨으니 곧 그리스도 주시다!" 동방 박사들도 예수님을 찾아왔어요. 별 모형을 든다. 그들은 한 별을 보았어요. 예수님의 탄생을 알리는 하나님의 표시였지요. 종이 왕관을 든다. 왕으로 오신 아기 예수님을 만난 동방 박사들은 무릎을 꿇고 경배했어요. 선물 상자를 든다. 그리고 아기 예수님께 황금과 유향과 몰약을 선물로 드렸어요.

가스펠 링크

하나님의 천사는 한밤중에 양을 치던 목자들에게 나타나 구세주가 이 땅에 태어나셨다는 소식을 전했어요. 이 소식을 들은 목자들은 아무 일도 없었던 것처럼 하던 일을 계속했나요? 아니에요! 아니에요! 성경은 그들이 베들레헴으로 달려가 아기 예수님을 찾았다고 말해요. 그러고는 천사에게 전해 들은 소식을 사람들에게 이야기했어요. 우리를 위해 구세주가 태어나셨는데, 그가 바로 이 아기라고 말이에요. **약속하신 메시아로 예수님이 오셨어요.** 예수님에 관한 이야기를 들은 사람들은 모두 깜짝 놀랐어요. 목자들은 하나님을 찬양했어요. 왜냐하면 예수님이 태어나신 것은 기쁜 소식이었기 때문이에요.

하나님은 약속하신 대로 이 세상에 구세주를 보내셨어요. 예수님은 하늘에서 이 땅으로 오신 하나님의 아들이세요. 예수님은 사람들을 죄에서 구원하시고 그들의 왕이 되기 위해 오셨어요. 이것은 정말 축하할 일이에요!

DVD

복음 초청

성경과 103쪽 복음 초청 가이드를 이용해서 아이들에게 그리스도인이 되는 법을 설명해 준다. 따로 상담해 줄 사람을 정해 주고 궁금한 점이 있으면 물어보도록 격려한다.

이 시간 예수님을 마음에 모시고 싶은 친구는 함께 기도해요.

기도

하나님, 우리를 죄에서 구원하기 위해 하나뿐인 아들을 보내주셔서 감사합니다. 완전한 하나님이시고 완전한 인간이신 예수님은 하늘의 보좌를 버리고 아기의 모습으로 겸손하게 이 땅에 오셨습니다. 예수님이 왜 이 땅에 오셨고, 우리를 위해 무엇을 하셨는지 늘 기억하도록 도와주세요. 예수님을 통해 우리를 구원하신 하나님을 찬양합니다. 예수님의 이름으로 기도합니다. 아멘.

적용

TIP 설교 도입이나 적용으로 활용하거나 영상을 본 뒤 소그룹으로 나누어 풍성한 대화를 이어 갈 수 있습니다.

왕을 만날 예정이라면 어떤 선물을 준비하는 것이 좋을까요? 여러분이라면 어떤 선물을 가지고 갈까요? 이 영상을 보고 함께 이야기를 나누어 보아요.

DVD 적용 예화 영상(지도자용 팩)을 보여 준다.

목자들은 서둘러 예수님을 찾아갔고, 하나님을 찬양하며 돌아왔어요. 동방 박사들은 예수님께 선물을 드렸어요. 그들은 예수님을 왕으로 경배했지요. 여러분은 예수님을 왕으로 경배하나요? 그렇지 않다면 그 이유는 무엇인가요? 우리는 예수님께 무엇을 드릴 수 있을까요?

가스펠 소그룹
(10~20분)

나침반

도미노 암송

준비물 1단원 암송(108쪽)**, 도미노, 라벨지, 사인펜**

① 라벨지에 1단원 암송을 어절 단위로 적어 도미노 조각에 붙여 둔다.

② 아이들에게 도미노를 암송 구절 순서대로 세워 보라고 한다.

③ 도미노가 완성되면 함께 쓰러뜨린다.

— 우리는 오늘 예수님의 탄생에 관한 성경 이야기를 들었어요. 1단원 암송 구절은 예수님이 이 땅에 오신 이유를 말해 주어요. 예수님은 죄인들을 구하기 위해 이 세상에 오셨어요! 매일 수십만 명의 아기가 태어났지만, 예수님은 다른 아기들과 같지 않았어요. 예수님은 보통 사람들과는 다른 특별한 분이셨기 때문에 우리를 죄에서 구원하실 수 있었어요. **예수님은 어떤 점에서 특별한가요? 예수님은 완전한 하나님이시며, 완전한 인간이세요.**

보물 지도

인간 오목

준비물 의자 7개, 2가지 색의 시트지, 가위, 사인펜

① 2가지 색의 시트지를 손바닥 크기의 동그라미로 여러 개 잘라 둔다.

② 의자 7개를 나란히 두고, 아이들을 2팀으로 나눈다. 아이들에게 각 팀에 해당하는 색깔의 시트지를 가슴에 붙이라고 한다.

③ 오늘 배운 성경 이야기에 관한 질문을 던진다.

④ 정답을 맞힌 팀은 자기 팀원 중 한 명을 빈 의자에 앉히거나, 상대 팀이 이미 차지한 의자에 앉힐 수 있다고 말해 준다. 자리를 빼앗긴 아이는 다른 빈 의자에 앉아야 한다고 일러 준다.

⑤ 연속으로 3명을 의자에 먼저 앉히는 팀이 이긴다.

1 모든 사람이 호적 등록을 해야 한다고 명령한 사람은 누구인가요?
가이사 아구스도 또는 아우구스투스 황제 (눅 2:1)

2 마리아와 요셉은 호적 등록을 위해 어디로 갔나요?
베들레헴 (눅 2:4)

3 마리아와 요셉은 어디에서 왔나요?
갈릴리 나사렛 (눅 2:4)

4 마리아와 요셉이 베들레헴에 머무는 동안 무슨 일이 일어났나요?
마리아가 첫아들을 낳았다 (눅 2:6~7)

5 들판에 있던 목자들에게 누가 나타났나요?
주의 사자 또는 천사 (눅 2:9)

6 천사는 목자들에게 어떤 기쁜 소식을 전했나요?
"오늘 다윗의 동네에 너희를 위하여 구주가 나셨으니 곧 그리스도 주시니라"라고 말했다 (눅 2:11)

7 천사들이 떠나자 목자들은 어디로 갔나요?
베들레헴 (눅 2:15)

8 베들레헴에서 아기 예수님을 본 목자들은 어떻게 했나요?
천사가 그들에게 말한 것을 전하고, 하나님께 영광을 돌리고 찬송하며 돌아갔다 (눅 2:16~18, 20)

9 동방에서 온 박사들은 예수님이 태어나신 것을 어떻게 알았나요?
동방에서 그의 별을 보았다 (마 2:2)

10 헤롯은 동방 박사들에게 아기 예수님을 찾거든 왜 자기에게도 알려 달라고 했나요?
예수님을 경배하러 가려 한다고 말했다 (마 2:8)

11 동방 박사들은 아기 예수님께 어떤 선물을 드렸나요?
황금, 유향, 몰약 (마 2:11)

12 동방 박사들은 예수님이 계신 장소를 헤롯에게 말했나요?
아니다, 그들은 꿈에서 헤롯에게 돌아가지 말라는 지시를 받고 다른 길로 돌아갔다 (마 2:12)

13 예수님은 왜 이 세상에 태어나셨나요?
죄인인 우리를 구하기 위해 태어나셨다 (눅 2:11)

14 **예수님은 어떤 점에서 특별한가요?**
예수님은 완전한 하나님이시며, 완전한 인간이세요.

탐험하기

단어를 찾아라!

준비물 학생용 교재 12쪽, 연필

① 아이들에게 보기에 있는 단어를 골라 빈칸을 채우라고 한다.

② 2~3명씩 짝을 지어 빙고 게임을 하라고 한다.

③ 빙고판 가운데 있는 십자가는 어느 방향으로든 움직여 빙고를 완성할 수 있다고 말해 준다.

기쁜 소식, 복음이에요!

준비물 학생용 교재 13쪽, 연필

① 아이들에게 빙고 칸에 넣은 단어들을 문장의 빈칸에 넣어 읽어

보라고 한다.

② 미완성 문장이 정말 기쁜 소식인 복음이 될 수 있도록 보기에서 알맞은 단어를 골라 빈칸을 채워 보라고 한다.

③ 완성한 문장을 함께 큰 소리로 읽는다.

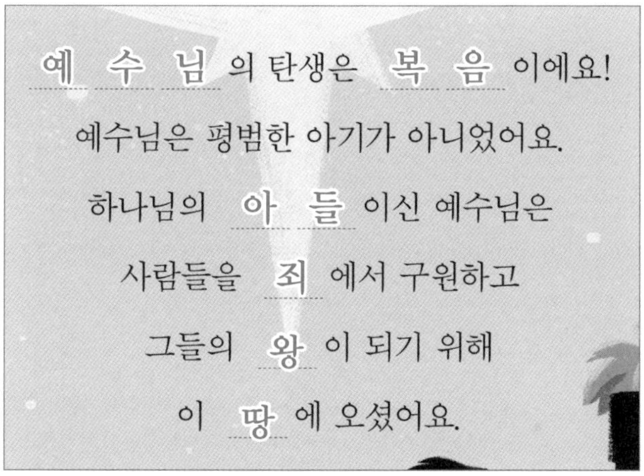

── 예수님이 태어나셨을 때, 하나님은 천사들을 보내 양을 치는 목자들에게 예수님의 탄생 소식을 알리셨어요. 세상 모든 사람이 이 소식을 들은 것은 아니었지만, 아기 예수님의 탄생은 세상 모든 사람에게 참으로 기쁜 소식이에요. 이 땅에 오신 예수님이 훗날 우리를 위해 하신 일은 말로 표현할 수 없을 만큼 위대한 일이었어요!

성경 이야기 벽화 *

준비물 **전지, 사인펜**

① 전지를 세 부분으로 나누고, 그 안에 아래 성경 장절을 각각 쓴다.

A : 눅 2:4~7 / B : 눅 2:8~12 / C : 마 2:1~2, 10~11

② 아이들을 3팀으로 나누고, 각 팀에 성경 구절을 하나씩 지정해 준다.

③ 각 팀에 지정된 성경 구절을 찾아 큰 소리로 읽게 한 후, 각각의 성경 이야기를 잘 설명할 수 있는 그림을 그리라고 한다.

④ 그림이 완성되면, 각 팀이 그린 장면을 설명하게 한다.

── 모두 잘했어요! 이 그림들은 오늘의 성경 이야기에서 어떤 일들이 일어났는지 잘 보여 주어요. 하나님은 구원자를 보내겠다는 약속을 지키셨어요. 하나님은 아들인 예수님을 이 세상에 보내셨어요! **약속하신 메시아로 예수님이 오셨어요.**

보물 상자

나만의 기록장

준비물 **학생용 교재 14쪽, 연필 또는 색연필**

① 아이들에게 아기 예수님의 모습을 그려 보라고 한다.

② 그 옆에 왕좌에 앉으신 예수님의 모습을 그려 보라고 한다.

③ 예수님은 우리의 왕이 되기 위해 이 땅에 오셨다는 사실을 말해 준다.

── 예수님은 아기의 모습으로 이 세상에 오셨어요. 지금 예수님은 어디에 계실까요? 성경은 예수님이 우리 죄의 문제를 해결하기 위해 십자가에서 죽으시고 다시 살아나셔서 하늘로 올라가셨다고 말해요. 살아 계신 예수님은 하나님의 오른편에 앉아 계세요(엡 1:20; 계 3:21 참조).

메시지 카드

이번 주 메시지 카드로 부모님과 함께 오늘 배운 성경 이야기를 나누어 보라고 한다.

기도

하나님, 하나님은 언제나 약속을 지키시며 모든 사람을 사랑하시는 것을 예수님을 통해 보여 주셔서 감사합니다. 이 좋은 소식을 우리에게 주셔서 정말 기쁘고 행복해요. 이 기쁜 소식을 우리만 알고 누리는 것이 아니라, 모든 사람에게 전할 수 있도록 우리를 인도해 주세요. 예수님의 이름으로 기도합니다. 아멘.

4

예수님이 성전에 계셨어요

눅 2:40~52

단원 암송

하나님이 세상을 이처럼 사랑하사 독생자를
주셨으니 이는 그를 믿는 자마다 멸망하지
않고 영생을 얻게 하려 하심이라(요 3:16).

성경의 초점

예수님은 어떤 점에서 특별한가요?
예수님은 완전한 하나님이시며,
완전한 인간이세요.

본문 속으로

누가복음은 예수님의 어린 시절에 관해 두 가지 이야기를 소개합니다. 정결예식을 위해 그분의 부모가 아기 예수를 데리고 예루살렘에 올라갔던 일(눅 2:22~24 참조)과 예수님이 12살 때 성전에서 있었던 일(눅 2:41~51 참조)입니다. 이 이야기들은 예수님이 성인이 된 이후 행하셨던 사역의 배경이 됩니다.

마리아와 요셉은 신실한 유대인이었습니다. 그들은 모세의 율법에 따라 정결예식을 치르고 아기 예수를 하나님께 드렸습니다. 그리고 유월절을 기념하기 위해 매년 예루살렘에 갔습니다. 하나님은 일 년에 3번 하나님께 와서 절기를 지키라고 백성에게 말씀하셨습니다(신 16:16 참조). 하나님의 율법을 따르는 사람들은 해마다 예루살렘에 올라가 유월절을 기념했습니다. 유월절을 지키는 행렬은 큰 무리를 이루었습니다.

성경 시대에 유대인 소년은 13살이 되면 성인식을 치렀습니다. 그 무렵 아버지는 소년에게 성인으로서 지켜야 할 모든 사회적, 영적 책임에 대해 알려 주었습니다. 목수였던 요셉은 예수님을 목수로 훈련했을 것입니다. 예루살렘을 방문할 때에는 예수님을 데리고 도시 안 이곳저곳을 다니면서 성전의 중요성과 유월절 만찬의 목적에 관해 설명했을 것입니다.

예수님의 부모는 유월절 만찬 후 집으로 돌아가는 여정에 올랐습니다. 그들은 예수님이 함께 여행하는 동료들 사이에 있을 것이라 생각했지만 예수님은 그 무리 속에 계시지 않았습니다. 마리아와 요셉은 하루가 지나서야 아들이 없다는 사실을 알게 되었습니다. 예루살렘으로 돌아간 그들은 성전에서 예수님을 찾았습니다.

마리아는 아들에게 왜 부모를 근심하게 했냐고 물었습니다. 예수님은 마리아의 질문에 질문으로 대답하셨습니다. "내가 아버지 집에 있어야 될 줄을 알지 못하셨나이까"(눅 2:49). 그러나 마리아와 요셉은 이 말을 이해하지 못했습니다. 예수님은 자신이 하나님의 아들이었으며, 하나님이 진정한 아버지이심을 나타내셨던 것입니다. 예수님은 이 모든 일을 행하는 가운데 죄를 짓지 않으셨습니다.

티칭 포인트

성경은 예수님의 어린 시절에 관해 많이 설명하지 않지만, 우리는 예수님이 지혜와 키가 자라 가며 하나님과 사람에게 더욱 사랑스러워지셨다는 것을 알고 있습니다. 세상을 자신과 화목하게 하시려는 하나님 아버지의 계획을 예수님이 몸소 이루셨다는 것을 아이들에게 강조하십시오(고후 5:19 참조).

주 제

예수님은 하나님 아버지의 계획을 이루기 위해 이 땅에 오셨어요.

가스펠 링크

예수님은 키와 지혜가 점점 더 자라 가셨어요. 하나님 아버지의 계획을 위해 준비하고 계셨던 거예요.

예수님이 성전에 계셨어요 눅 2:40~52

마리아와 요셉은 해마다 유월절을 지내기 위해 예루살렘으로 갔어요. 유월절은 유대인들이 기념하는 가장 큰 명절이에요. 많은 사람이 예루살렘에서 유월절을 기념하며, 하나님이 이스라엘 백성을 이집트의 노예 생활에서 구원하신 일을 기억했어요.

예수님이 12살이 되었을 때, 예수님은 가족과 함께 유월절을 지내려고 예루살렘에 가셨어요. 집으로 돌아갈 때가 되자 마리아와 요셉은 많은 사람과 함께 예루살렘을 떠나 나사렛으로 향했어요. 그들은 예수님이 없다는 사실을 알아차리지 못했어요. 사람들 가운데 있을 것이라고 생각했지요. 그러나 예수님은 그곳에 계시지 않았어요. 예루살렘에 남아 계셨거든요.

마리아와 요셉은 하루를 꼬박 걸어가고 난 뒤에야 예수님이 없다는 사실을 깨달았어요. 그들은 친척과 친구들 사이를 살펴보았지만 예수님을 찾지 못했어요.

마리아와 요셉은 예루살렘으로 돌아갔어요. 그리고 예수님을 찾기 위해 예루살렘을 샅샅이 살펴보았어요. 예루살렘은 큰 도시였고 예수님은 작은 아이였으니까요.

마침내 그들은 예수님을 찾았어요. 예수님은 성전에서 선생님들과 함께 계셨어요. 예수님은 선생님들의 이야기를 듣기도 하고 질문도 하셨어요. 모든 사람이 예수님의 이야기를 듣고 그의 지혜와 대답을 놀랍게 여겼어요.

예수님의 부모님도 그 모습을 보고 매우 놀랐어요. 마리아는 "얘야, 이게 무슨 일이냐? 네 아버지와 내가 너를 찾느라고 얼마나 애를 태웠는지 모른다"라고 말했어요.

예수님은 "왜 나를 찾으셨습니까? 내가 내 아버지의 집에 있어야 한다는 것을 모르셨습니까?"라고 대답하셨어요. 그러나 마리아와 요셉은 예수님의 말을 이해하지 못했어요.

예수님은 부모님과 함께 집으로 돌아가셨고, 항상 부모님께 순종하셨어요. 예수님은 자라면서 강해지고 지혜로워지셨어요. 하나님은 예수님으로 인해 기뻐하셨고 예수님을 아는 모든 사람도 마찬가지였어요.

●● 가스펠 링크

예수님은 아이였지만 하나님 아버지의 계획을 이루기 원하셨어요. 예수님은 키와 지혜가 점점 더 자라가셨어요. 하나님 아버지의 계획을 위해 준비하고 계셨던 거예요. 그 계획은 예수님이 십자가에서 죽으심으로 모든 사람을 죄에서 구원하는 것이었어요.

가스펠 준비
(10~20분)

*는 선택 활동입니다.

환영

도착하는 아이들을 반갑게 맞이하고 헌금, 출석, QT 등을 확인하며 격려한다. 새 친구가 있다면 소개한다. 편안한 분위기에서 안부를 물으며 오늘의 말씀과 관련된 화제로 이야기를 나눈다. 내가 자주 찾는 특별한 장소가 있는지 물어본다. 자발적으로 대화에 참여하도록 이끈다.

예) "자주 가고 싶은 장소는 어디인가요?", "하루 중 가장 많은 시간을 보내는 장소는 어디인가요?", "만약 누군가 여러분을 찾는다면, 어디에서 찾을 확률이 높을까요?" 등.

— 누군가를 찾는다면 그 사람이 있을 만한 곳을 생각해 보게 되겠지요? 만약 가족이나 친구를 만나야 한다면 어디를 먼저 찾아볼 것 같나요? 오늘 성경 이야기에서 요셉과 마리아는 예수님을 어떤 장소에서 찾았을까요?

마음 열기

장소 스무고개 *

① 아이들에게 인도자가 머리에 떠올리는 장소를 맞혀 보라고 한다.

예) 화장실, 놀이동산, 교회, 학교 등.

② 장소를 알아낼 때까지 순서대로 돌아가면서 "예", "아니오"로 대답할 수 있는 질문을 최대 20개까지 할 수 있다고 말해 준다.

예) "거기에 매일 가세요?", "그곳은 따뜻한가요?", "그곳은 복잡한가요?" 등.

③ 아이들이 질문을 20개 던진 후에도 장소를 맞히지 못하면 정답을 말해 준다.

④ 정해진 시간 안에서 놀이를 반복한다.

— 어떤 장소인지 맞히느라 힘들었지요? 오늘 우리는 예수님과 마리아, 그리고 요셉에 관한 이야기를 듣게 될 거예요. 마리아와 요셉은 예수님을 찾으러 여기저기 돌아다녔어요. 과연 예수님을 어디에서 찾았을지 오늘의 성경 이야기를 잘 들어 보세요!

어디에 속할까? *

준비물 **도화지, 색연필**

① 아이들을 4팀으로 나눈다.

② 각 팀에 도화지와 색연필을 나누어 주고, 각각 '우주 비행사', '외과 의사', '농구 선수', '택시 운전사'가 있을 만한 환경이나 장소를 그려 보라고 한다.

③ 완성한 그림을 다른 팀에게 보여 주며, 각 그림 속 장소에 있을 만한 사람은 누구인지 말하게 한다.

— 병원에서 의사를 발견하거나, 택시 안에서 택시 운전사를 발견하는 것은 놀라운 일이 아니에요. 왜냐하면 그 장소는 그 사람이 속한 곳이기 때문이에요. 오늘 성경 이야기에서 마리아와 요셉은 사람들 속에서 예수님을 찾지 못했어요. 그러나 곧 예수님이 마땅히 계실 곳에서 찾아냈어요. 예수님은 어디에 계셨을까요? 이제 곧 알게 될 거예요.

교사를 위한 기록장 이 과를 준비하면서 깨닫게 된 묵상을 정리해 보세요.

· 하나님이나 나에 대해 새롭게 알게 된 것은?

· 기억하고 싶은 하나님의 약속은?

· 아이들에게 전하고 싶은 메시지는?

가스펠 **설교**
(15~30분)

들어가기

준비물 **배낭, 성경, 의자, 작은 탁자**

배낭을 메고 들어간다. 성경이 의자 옆에 있는 작은 탁자에 놓여 있지만 인도자는 알아채지 못한다. 아이들을 환영하며 배낭을 연다.

안녕하세요, 여러분! 만나서 반가워요. 배낭 안에서 성경을 찾는다. 오늘의 성경 이야기를 어서 들려주고 싶어요. 어, 그런데 어디에 있지? 빈 배낭을 뒤집어 보인다. 성경이 배낭 안에 있는 줄 알았는데 도대체 어디 갔지? 혹시 제 성경 본 사람 있나요? 아이들이 성경을 가리킬 때까지 기다린다. 오, 훌륭해요! 드디어 찾았어요! 탁자 위에 있는 것이 당연하지요. 항상 여기에 성경을 놓아두니까요. 제가 왜 그 생각을 못했을까요? 아무튼 도와줘서 고마워요. 이제 오늘의 성경 이야기를 시작해 볼까요?

연대표

연대표에서 지난 성경 이야기들을 가리킨다. 먼저, 우리는 예수님의 가족에 관해 배웠어요. **예수님은 아브라함과 다윗의 자손으로 이 땅에 오셨어요.** 그리고 하나님이 마리아를 예수님의 어머니로 선택하신 것도 배웠지요. 요셉이 마리아와 함께 예수님을 돌보았지만, 예수님의 참된 아버지는 바로 하나님이세요.

그다음 예수님이 태어나신 이야기를 들었어요. **약속하신 메시아로 예수님이 오셨어요.** 모든 아기가 특별하지만, 예수님은 다른 아기들과 달랐어요. **예수님은 어떤 점에서 특별한가요? 예수님은 완전한 하나님이시며, 완전한 인간이세요.** 연대표에서 오늘의 성경 이야기를 가리킨다. 오늘의 성경 이야기는 "예수님이 성전에 계셨어요"랍니다. 오늘은 예수님에 관해 무엇을 배울지 함께 알아보아요.

성경의 초점

예수님은 어떤 점에서 특별한가요? 지금까지 들은 성경 이야기들은 예수님이 다른 사람들보다 특별하다는 것을 보여 주었어요. '성경의 초점' 질문의 답은 무엇일까요? 아이들의 대답을 기다린다. 맞아요. **예수님은 완전한 하나님이시며, 완전한 인간이세요.**

성경 이야기

DVD 누가복음 2장을 펴고, 설교 영상(지도자용 팩)을 보여 주거나 이야기 성경을 들려준다. 성경 시대의 지도를 보여 주며 나사렛과 예루살렘의 위치를 가리키며 이야기 성경을 들려주는 것도 좋다. 또는 음향 효과를 적절히 주어도 좋다. (예 : 마리아와 요셉이 집으로 향해 가는 이야기를 할 때는 천천히 무릎을 치다가 예루살렘으로 급히 돌아가는 부분에서는 빠르게 친다. 예수님을 발견하는 장면에서는 놀란 듯이 숨을 들이킨다.)

마리아와 요셉은 유대인이었어요. 그들은 하나님의 율법을 지키는 것을 매우 중요하게 여겼어요. 유월절은 하나님이 매년 지키라고 명령하신 3가지 명절 중 하나였어요. 그래서 마리아와 요셉은 해마다 유월절을 기념하기 위해 예루살렘으로 갔어요.

유월절이 무엇을 기념하는 명절인지 말해 볼까요? (사람들은 유월절을 지키며 하나님이 이집트의 노예였던 이스라엘 백성을 구해 내신 것을 기억하고 축하했다, 출 12장)

12살이 된 예수님은 유월절을 지키러 부모님인 마리아와 요셉과 함께 예루살렘에 가셨어요. 명절이 끝나자, 마리아와 요셉은 집으로 가기 위해 예루살렘을 떠났어요. 여행하는 사람들이 매우 많았기 때문에 그들은 예수님이 무리 가운데 있을 것이라 생각했어요. 그러나 예수님은 사람들 속에 계시지 않았어요. 예수님은 예루살렘에 머물러 계셨어요. 마리아와 요셉은 하루가 지난 후에야 예수님이 그들과 함께 있지 않다는 것을 깨달았어요. 그리고는 예수님을 찾으러 예루살렘으로 되돌아갔어요.

마리아와 요셉은 예수님이 보이지 않자 무척 걱정이 됐을 거예요. 그들은 서둘러 예루살렘으로 돌아왔어요. 어디에서 예수님을 찾았을까요? (성전에서) 예수님은 성전에서 선생님들의 이야기를 듣기도 하고 질문도 하며 계셨어요. 사람들은 예수님의 지혜와 대답하는 말을 듣고 놀랐어요.

예수님을 찾은 마리아는 어떻게 된 일이냐고 예수님에게 물었어요. 그러자 예수님은 "왜 나를 찾으셨습니까? 내가 내 아버지의 집에 있어야 한다는 것을 모르셨습니까?"라고 말씀하셨어요. 즉, 예수님은 "내가 속한 곳은 이곳인데 내가 어디로 가겠습니까?"라고 말씀하신 거예요.

마치 제가 성경을 잃어버렸던 일이 떠오르지 않나요? 성경은 원래 있어야 할 곳에 있었어요. 저는 성경이 원래 있던 자리를 먼저 확인해야 했어요.

가스펠 링크

예수님은 아이였지만 자신이 세상에 온 이유를 알고 계셨어요. **예수님은 하나님 아버지의 계획을 이루기 위해 이 땅에 오셨어요.** 예수님은 키와 지혜가 점점 더 자라 가셨어요. 하나님 아버지의 계획을 위해 준비하고 계셨던 거예요. 그 계획은 예수님이 십자가에서 죽으심으로 모든 사람을 죄에서 구원하는 것이었어요.

마리아와 요셉은 무슨 일이 일어나고 있는지 이해하지 못했지만, 예수님은 알고 계셨어요. 예수님은 결코 죄를 짓지 않으셨지만, 하나님께 순종해 죄인들이 받아야 할 죽음의 형벌을 대신 받으셨어요. 예수님을 의지할 때 하나님은 우리의 죄를 용서하시고 영원한 생명을 주세요.

복음 초청

성경과 103쪽 복음 초청 가이드를 이용해서 아이들에게 그리스도인이 되는 법을 설명해 준다. 따로 상담해 줄 사람을 정해 주고 궁금한 점이 있으면 물어보도록 격려한다.

이 시간 예수님을 마음에 모시고 싶은 친구는 함께 기도해요.

기도

하나님, 우리를 죄에서 구원하고 영원한 생명을 주기 위해 예수님을 보내 주셔서 감사합니다. 하나님은 언제나 우리를 사랑하고 돌보시지만, 우리는 때때로 하나님이 아닌 다른 일들에 많은 관심을 두었던 것을 회개합니다. 예수님이 하나님의 뜻을 이루는 일에 마음을 두었던 것처럼, 우리도 하나님의 뜻을 따르는 일을 더 소중하게 여기도록 인도해 주세요. 하나님이 기뻐하시는 자녀로 살 수 있도록 도와주세요. 예수님의 이름으로 기도합니다. 아멘.

적용

TIP 설교 도입이나 적용으로 활용하거나 영상을 본 뒤 소그룹으로 나누어 풍성한 대화를 이어 갈 수 있습니다.

'성경의 초점' 질문과 답을 기억하나요? **예수님은 어떤 점에서 특별한가요? 예수님은 완전한 하나님이시며, 완전한 인간이세요.** 하나님은 우리가 어떻게 살아가야 하는지, 또 하나님이 어떤 분이신지 알 수 있도록 아들이신 예수님을 이 땅에 보내셨어요. 성전에 계셨던 예수님의 이야기는 우리에게 무엇을 가르쳐 주는지 함께 생각해 보아요.

DVD 적용 예화 영상(지도자용 팩)을 보여 준다.

영상의 내용 중에 아이들에게 이해가 되지 않는 부분이 있는지 물어보고 함께 이야기를 나눈다.

성경을 읽고 기도하는 시간을 따로 가지나요? 지역 사회를 위해 봉사하는 시간을 정기적으로 가지나요? 이런 일들을 우선순위로 삼는 것은 왜 어려운가요?

가스펠 소그룹
(10~20분)

나침반

누가 빠른가요?

준비물 **1단원 암송**(108쪽)**, 색인 카드, 종이봉투 2장**

① 1단원 암송을 색인 카드에 어절 단위로 적고, 카드를 섞은 후 종이 봉투에 넣어 둔다. 2세트를 만든다.

② 아이들을 2팀으로 나누고, 색인 카드가 담긴 봉투를 각각 나누어 준다.

③ 아이들에게 색인 카드를 순서대로 정렬한 뒤, 1단원 암송 구절을 큰 소리로 읽으라고 한다.

④ 카드 맞추기를 먼저 끝낸 팀이 이긴다.

— **예수님은 하나님 아버지의 계획을 이루기 위해 이 땅에 오셨어요.** 1단원 암송은 우리에게 하나님의 계획이 무엇인지 알려 주어요. 예수님은 왜 이 세상에 오셨나요?(예수님을 믿는 자마다 영생을 얻게 하기 위해서)

보물 지도

공 받고 대답하기

준비물 **성경, 탱탱볼**

① 아이들에게 성경에서 누가복음 2장 40~52절을 찾으라고 한다.

② 아이들을 둥글게 세우고, 한 아이에게 공을 던진다.

③ 공을 받은 아이에게 질문하고 답을 말하게 한다. 정확하게 대답하면 다른 아이에게 공을 던지라고 한다.

④ 아이가 정답을 말하지 못하면 인도자에게 다시 공을 던지고, 인도자는 다른 아이에게 공을 던져 대답하게 한다.

1 예수님의 가족들은 왜 예루살렘으로 갔나요?

유월절을 지키기 위해서 예루살렘으로 갔다 (눅 2:41)

2 오늘 성경 이야기는 예수님이 몇 살 때 일어난 일인가요?

12살 (눅 2:42)

3 마리아와 요셉은 예루살렘을 떠난 지 얼마 만에 예수님이 없다는 것을 깨달았나요?

하룻길을 간 후에 깨달았다 (눅 2:44)

4 마리아와 요셉은 예수님을 어디에서 찾았나요?

성전 (눅 2:46)

5 예수님은 성전에서 무엇을 하고 계셨나요?

선생 중에 앉아 듣기도 하고 묻기도 하셨다 (눅 2:46)

6 예수님은 마리아와 요셉에게 뭐라고 말씀하셨나요?

"어찌하여 나를 찾으셨나이까 내가 내 아버지 집에 있어야 될 줄을 알지 못하셨나이까" (눅 2:49)

7 예수님은 계속 예루살렘에 머물며 죄를 지으셨나요?

아니다. 예수님은 부모에게 순종해 집으로 돌아가셨다. 예수님은 죄를 짓지 않으셨다 (눅 2:51; 고후 5:21)

8 **예수님은 어떤 점에서 특별한가요?**

예수님은 완전한 하나님이시며, 완전한 인간이세요.

— **예수님은 하나님 아버지의 계획을 이루기 위해 이 땅에 오셨어요.** 예수님은 성전, 곧 하나님 아버지의 집에 계셨어요. 예수님은 하나님의 아들이시기 때문에 성전은 예수님이 마땅히 계셔야 할 곳이었어요. 예수님은 자라 가며 강해지고 지혜가 충만해졌어요. 하나님은 예수님이 하나님의 계획에 순종해 십자가에서 죽으심으로 사람들을 죄에서 구원할 수 있도록 예수님을 준비시키신 거예요.

탐험하기

예수님은 어디에?

준비물 **학생용 교재 16쪽, 연필**

① 마리아와 요셉이 잃어버렸다고 생각했던 예수님은 성전에 계셨다는 것을 아이들에게 말해 준다.

② 제시된 자모음을 아래의 부호 힌트에 따라 움직여서 예수님이 마리아와 요셉에게 하신 대답을 완성해 보라고 한다.

— 예수님은 아이였지만, 자신이 누구인지 분명하게 아

셨어요. 바로 하나님 아버지의 아들이라는 사실을 말이에요. 예수님은 키와 지혜가 점점 더 자라 가셨어요. 하나님 아버지의 계획을 위해 준비하고 계셨던 거예요. 그 계획은 바로 십자가에서 죽으심으로 모든 인간을 죄에서 구원하는 것이었어요.

그 말이 진짜야?

준비물 **학생용 교재 17쪽, 연필, 성경**

① 아이들과 성경 이야기를 간단하게 복습한다.

② 문장들이 참인지 거짓인지 해당하는 내용에 ○표 하라고 한다.

③ 성경 구절을 찾아 함께 답을 확인한다.

예수님은 부모님과 함께 유월절을 기념하러 예루살렘에 가셨어요. (눅 2:41)	참 (○)	거짓
예수님이 부모님과 함께 성전에 간 것은 18살 때였어요. (눅 2:42)	참	거짓 (○)
마리아와 요셉은 예수님과 함께 예루살렘을 떠나 집으로 돌아갔어요. (눅 2:43)	참	거짓 (○)
마리아와 요셉은 성전에서 예수님을 찾았어요. (눅 2:46)	참 (○)	거짓
예수님은 부모님께 불순종하셨어요. (눅 2:51~52)	참	거짓 (○)

— 예수님은 아이였지만 하나님 아버지의 계획을 이루기 원하셨어요. 예수님은 키와 지혜가 점점 더 자라 가셨어요. 하나님 아버지의 계획을 위해 준비하고 계셨던 거예요. 그 계획은 예수님이 십자가에서 죽으심으로 모든 사람을 죄에서 구원하는 것이었어요.

끼리끼리 게임 *

① 아이들에게 예배실 안을 자유롭게 돌아다니라고 말한다.

② 인도자의 지시에 따라 팀을 만들어 보라고 한다.

예) · 같은 색깔의 상의를 입은 사람끼리 모이세요.
· 태어난 달이 같은 사람끼리 모이세요.
· 오늘 운동화를 신고 온 사람끼리 모이세요.
· 오늘 구두를 신고 온 사람끼리 모이세요.
· 아침밥을 먹고 온 사람끼리 모이세요.

— 집으로 돌아가던 마리아와 요셉은 사람들 속에서 예수님을 찾을 수 없었어요. 그들은 하나님 아버지의 집인 성전에서 예수님을 찾았어요. 예수님은 자신이 하나님의 아들이라는 사실을 아셨어요. 그리고 하나님 아버지의 계획을 이루기 위해 이 땅에 오셨다는 사실도 잘 알고 계셨지요. 예수님은 십자가에서 죽으시고 다시 살아나심으로 우리를 구원하시려는 하나님의 계획을 이루셨어요. 예수님은 비록 어렸지만 다른 사람과 달랐어요. **예수님은 완전한 하나님이시며, 완전한 인간이세요.**

보물 상자

나만의 기록장

준비물 **학생용 교재 18쪽, 연필**

① 아이들에게 예수님, 성경, 그리고 교회에 관해 궁금한 점이 있는지 물어보고, 궁금한 점들을 적어 보라고 한다.

② 하나님은 이 질문들의 답을 찾을 수 있도록 지혜를 주시고 가르쳐 주신다는 것을 말해 준다.

TIP 인도자는 아이들이 질문을 나누고 서로 대답하게 한 후 마지막에 정리한다.

메시지 카드

이번 주 메시지 카드로 부모님과 함께 오늘 배운 성경 이야기를 나누어 보라고 한다.

기도

하나님, 우리를 위해 예수님을 보내 주셔서 감사합니다. 예수님이 온 세상을 구원하시려는 하나님의 계획을 아셨던 것처럼 우리도 지혜와 키가 자라 가는 동안 하나님의 뜻을 더욱 알아 가게 해 주세요. 그리고 예수님이 하나님께 순종하신 것처럼 우리도 하나님의 뜻에 순종할 수 있도록 인도해 주세요. 예수님의 이름으로 기도합니다. 아멘.

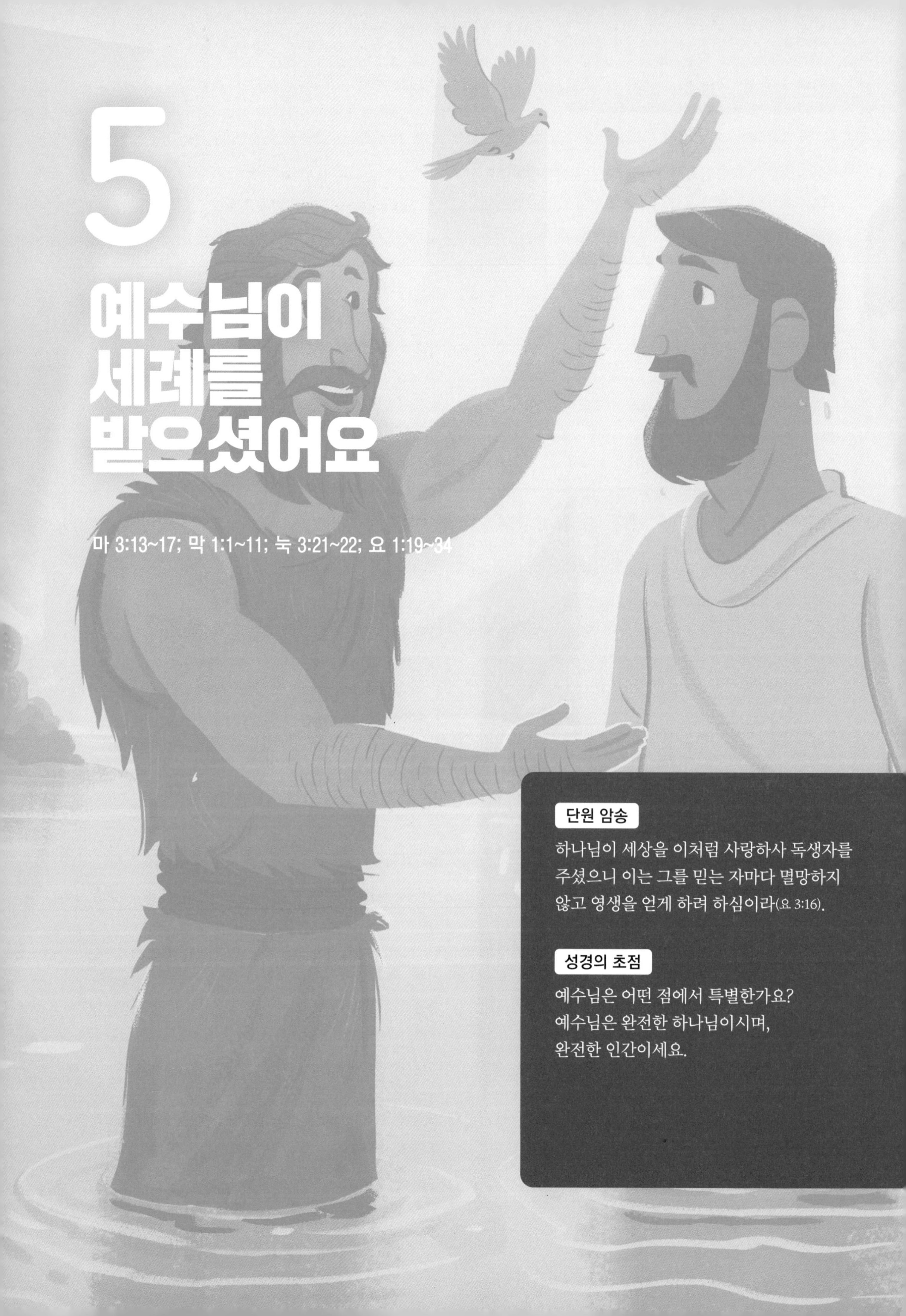

5

예수님이 세례를 받으셨어요

마 3:13~17; 막 1:1~11; 눅 3:21~22; 요 1:19~34

단원 암송

하나님이 세상을 이처럼 사랑하사 독생자를 주셨으니 이는 그를 믿는 자마다 멸망하지 않고 영생을 얻게 하려 하심이라(요 3:16).

성경의 초점

예수님은 어떤 점에서 특별한가요?
예수님은 완전한 하나님이시며,
완전한 인간이세요.

본문 속으로

사가랴의 아들인 요한은 광야에서 성장했습니다. 그의 사역은 하나님의 말씀이 그에게 임하면서 시작되었습니다. 요한은 요단강 근처에서 장차 오실 예수님을 위해 사람들을 준비시킴으로써 구약의 예언을 이루었습니다. "외치는 자의 소리여 이르되 너희는 광야에서 여호와의 길을 예비하라 사막에서 우리 하나님의 대로를 평탄하게 하라"(사 40:3).

요한은 사람들에게 죄를 회개하도록 요청했고 요단강에서 세례(침례)를 주었습니다. 그는 사람들에게 바르게 사는 방법을 가르쳤습니다(눅 3:10~14 참조). 어떤 사람들은 요한이 메시아라고 생각했지만, 요한은 "나보다 능력이 많으신 이가 오시나니"(눅 3:16)라고 말했습니다.

갈릴리에 계시던 예수님은 요단강으로 오셔서 요한에게 세례를 받으셨습니다. 여기서 한 가지 생각해 볼 것이 있습니다. 요한은 죄 사함을 받게 하는 회개의 세례를 전파했습니다. 그러나 예수님은 결코 죄를 짓지 않으셨습니다(히 4:15; 고후 5:21 참조). 그렇다면 죄가 없으신 예수님은 왜 세례를 받으려고 하셨을까요? 요한이 세례를 받으러 오신 예수님께 "내가 당신에게서 세례를 받아야 할 터인데 당신이 내게로 오시나이까"(마 3:14)라고 말한 것은 결코 틀린 말이 아니었습니다.

예수님이 왜 세례를 받으셨는지에 대한 해석은 다양합니다. 이는 예수님이 세례 요한의 사역을 인정하신 것일 수 있습니다. 어쩌면 죄인들과 자신을 동일시하고 그분의 죽음과 장례, 부활을 통해 죄인이 어떻게 구원받는지를 보여 주기 위해 세례를 받으셨는지도 모릅니다. 예수님은 세례 요한에게 답하셨습니다. "이제 허락하라 우리가 이와 같이 하여 모든 의를 이루는 것이 합당하니라"(마 3:15).

●● 티칭 포인트

아이들과 함께 공부하면서 아이들과 함께 세례에 대해 이야기를 나누어 보십시오. 세례가 우리를 구원하는 것이 아니라는 사실을 강조하십시오. 세례는 우리가 구원받았음을 나타내는 하나의 방법임을 알려 주십시오. 세례는 우리가 예수님을 믿을 때 죄에 대하여 죽고 예수님을 위해 사는 새로운 생명 가운데서 살게 된다는 사실을 기억하게 합니다(롬 6:3~4 참조).

주 제

예수님은 죄인들처럼 세례를 받으셨어요.

가스펠 링크

예수님은 죄가 없으셨지만 죄인들처럼
세례를 받으셨어요. 세례는 예수님의
죽음과 부활을 상징해요.

예수님이 세례를 받으셨어요 마 3:13~17; 막 1:1~11; 눅 3:21~22; 요 1:19~34

세례 요한은 광야에서 살았어요. 그는 낙타의 털로 만든 옷을 입고, 가죽으로 된 띠를 허리에 둘렀어요. 그리고 메뚜기와 꿀을 먹었지요. 세례 요한은 사람들에게 큰 소리로 외쳤어요. "회개하고 세례를 받으십시오! 천국이 가까이 왔습니다!"

어떤 사람들이 요한에게 가서 물었어요. "당신은 누구입니까?" 요한은 "나는 그리스도가 아닙니다"라고 대답했어요. 그리고 자신은 엘리야도 아니며, 하나님이 모세의 뒤를 이어 보내겠다고 약속하신 그 선지자도 아니라고 말했어요.

"그렇다면 당신은 누구란 말입니까?"라고 사람들이 물었어요. 요한은 자신이 이사야 선지자가 말한 사람이라고 말했어요. "나는 '주를 위해 길을 곧게 하라!'라고 광야에서 외치는 사람의 소리요."

요한에게는 매우 중요한 임무가 있었어요. 하나님이 약속하신 메시아인 예수님이 오시기 전에 사람들을 준비시키는 것이었어요. 요한의 말을 들은 사람들은 회개하기 시작했어요. 그들은 죄에서 돌이켜 하나님께 용서를 구했어요. 요한은 요단강에서 사람들에게 세례를 주었어요. 세례는 사람들의 죄가 씻겼음을 상징해요.

요한이 말했어요. "나보다 능력이 더 많으신 분이 내 뒤에 오실 텐데 나는 그분의 신발 끈을 풀 자격도 없습니다." 그리고 계속해서 "나는 여러분에게 물로 세례를 주지만 그분은 여러분에게 성령으로 세례를 주실 것입니다"라고 말했어요. 어른이 된 예수님이 요한에게 세례를 받으시려고 갈릴리 나사렛에서 요단강으로 오셨어요. 예수님을 본 요한은 "보시오, 세상 죄를 지고 가는 하나님의 어린양이십니다!"라고 말했어요.

예수님은 요한에게 세례를 받으려 하셨어요. 그러나 요한은 자신이 예수님께 세례를 주는 것이 옳지 않다고 생각해 예수님을 말렸어요. "제가 오히려 선생님께 세례를 받아야 하는데, 당신이 제게 오시다니요!" 요한은 혼란스러웠어요. 그는 자신의 죄를 고백하는 사람들에게 세례를 주었지만, 예수님은 아무 죄도 짓지 않으셨기 때문이에요!

예수님이 말씀하셨어요. "지금은 그렇게 하도록 하여라. 이렇게 해서 우리가 모든 의를 이루는 것이 옳다." 요한은 그 말을 따라 예수님께 세례를 베풀었어요.

세례를 받으신 예수님이 물에서 올라오셨어요. 그때 하늘이 열리고 성령이 비둘기같이 내려와 예수님에게 임하셨어요. 그리고 하늘에서 소리가 들려왔어요. "이는 내가 사랑하는 아들이다. 내가 그를 기뻐한다!"

●● 가스펠 링크

예수님은 죄가 없으셨지만 죄인들처럼 세례를 받으셨어요. 세례는 예수님의 죽음과 부활을 상징해요. 또한 우리가 예수님을 믿을 때, 죄에서 돌이켜 예수님을 위해 사는 새로운 삶을 살게 된다는 사실을 기억하게 해요.

가스펠 준비
(10~20분)

*는 선택 활동입니다.

환영

도착하는 아이들을 반갑게 맞이하고 헌금, 출석, QT 등을 확인하며 격려한다. 새 친구가 있다면 소개한다. 편안한 분위기에서 안부를 물으며 오늘의 말씀과 관련된 화제로 이야기를 나눈다. '세례(침례)'라는 말의 뜻을 아는 아이가 있는지 묻는다. 그리고 세례받은 적이 있는지 물어본다. 자발적으로 대화에 참여하도록 이끈다.

예) "세례가 무엇인지 알고 있나요?", "'거듭나다'라는 말은 무슨 뜻일까요?" 등.

— '세례'란 하나님을 믿는 사람들에게 특별한 예식이에요. 하지만 오늘 우리가 성경 이야기를 통해 알게 될 세례는 일반적인 세례와 달라요. 어떤 세례일까요? 함께 알아보아요.

마음 열기

그분이 당신입니까? *

준비물 **의자, 장난감 새**

① 술래를 한 명 정하고, 나머지 아이들을 등진 상태로 의자에 앉게 한다.

② 술래에게 눈을 감으라고 말하고, 작은 장난감 새를 의자 아래에 넣는다.

③ 아이 중 한 명에게 조용히 술래에게 다가가 장난감을 가지고 와서 등 뒤에 숨기라고 한다.

④ 아이들에게 "성령님이 비둘기같이 내려오셨어요!"라고 외치며 무릎을 두드리라고 한다.

⑤ 술래는 뒤를 돌아보며 "그분이 당신입니까?"라고 말하고, 누가 장난감 새를 가져갔는지 맞히게 한다.

⑥ 정답을 맞히면 장난감 새를 가져간 아이가 술래가 되고, 틀리면 술래를 계속한다.

— 오늘 성경 이야기에는 하늘에서 성령이 비둘기같이 내려오고 하나님의 음성이 들리는 일이 일어나요. 하나님의 성령은 누구에게 내려왔을까요? 그리고 하늘에서는 무슨 소리가 들렸을까요? 오늘 성경 이야기를 통해 함께 알아보기로 해요.

물은 어디에 사용되나요? *

준비물 **책상, 물, 물컵, A4용지, 연필, 스톱워치**

① 책상 위에 물을 채운 물컵을 올려 두고, 아이들에게 종이와 연필을 나누어 준다.

② 아이들에게 3분 동안 물이 어디에 사용되는지 가능한 한 많이 적어 보라고 한다.

예) 음료, 요리, 목욕, 세탁, 양치, 정원 물주기, 세차 등.

③ 시간이 되면, 아이들이 적은 내용을 발표하게 한다.

④ 될 수 있는 대로 모든 아이가 서로 겹치지 않는 내용으로 발표하게 한다.

— 물은 정말 많은 곳에 다양하게 사용되어요! 혹시 물이 '세례'에 사용된다는 것 알고 있나요? 사실 세례만큼 물과 관련된 중요한 일은 없어요. 왜냐하면 세례는 하나님이 하나님을 믿는 사람에게 주신 변화를 세상에 나타내는 표시이기 때문이에요. 오늘은 성경 이야기를 통해 예수님이 세례를 받으신 일을 배우게 될 거예요.

교사를 위한 기록장 이 과를 준비하면서 깨닫게 된 묵상을 정리해 보세요.

· 하나님이나 나에 대해 새롭게 알게 된 것은?

· 기억하고 싶은 하나님의 약속은?

· 아이들에게 전하고 싶은 메시지는?

가스펠 **설교**
(15~30분)

들어가기

준비물 **배낭, 공책, 성경**

배낭을 메고 공책과 성경을 들고 들어온다. 배낭을 내려놓고 안에서 성경을 꺼낸다.

안녕하세요. 여러분! 만나서 반가워요. 오늘은 여러분과 정말 멋진 소식을 나누고 싶어요. 이것은 우리 가족의 성경이에요. 우리 부모님이 사용하셨고, 할아버지와 할머니가 사용하셨고, 증조할아버지와 증조할머니도 사용하셨지요! 게다가 특이하게도 그분들은 여기에 생일, 죽음, 결혼, 세례와 같은 중요한 기념일들을 기록해 두셨답니다!

이 성경을 보면서 할아버지가 세례를 받으신 날짜가 정확하게 55년 전 오늘이라는 사실을 알게 되었어요! 오늘의 성경 이야기는 세례(침례)에 관한 내용이에요. 예수님이 받으신 세례 말이에요!

연대표

아브라함부터
예수님까지

마리아가
하나님을 찬양했어요

예수님이
태어나셨어요

예수님이
성전에 계셨어요

예수님이
세례를 받으셨어요

예수님이
시험을 이기셨어요

먼저 지금까지 배운 내용을 함께 살펴볼까요? 성경에 있는 모든 이야기는 하나의 커다란 이야기, 즉 하나님이 그의 아들 예수님을 통해 죄인들을 구원하시는 일에 관한 이야기를 만든다는 것을 기억하세요. 연대표에서 지난 성경 이야기들을 가리킨다. 우리는 예수님의 가계에 속한 사람들에 관해 들었어요. 하나님은 예수님을 아브라함과 다윗의 자손으로 보내겠다는 약속을 지키셨어요. **하나님은 마리아를 예수님의 어머니로 선택하셨어요.** 그리고 드디어 예수님이 베들레헴에서 태어나셨어요. 예수님은 죄인을 구원하기 위해 이 세상에 오셨어요. 예수님은 어렸을 때도 자신이 해야 할 중요한 일을 알고 계셨으며, 성전에서 시간을 보내셨어요.

연대표에서 오늘의 성경 이야기를 가리킨다. 오늘의 성경 이야기는 "예수님이 세례를 받으셨어요"랍니다.

성경의 초점

성경 이야기를 시작하기 전에 먼저 '성경의 초점'을 생각해 보아요. 지난주에 배운 예수님의 어린 시절에 관한 성경 이야기는 예수님이 누구신지, 왜 이 세상에 오셨는지를 가르쳐 주었어요. 하나님의 아들이신 예수님은 우리를 구원하기 위해 사람의 모습으로 이 세상에 오셨어요. **예수님은 어떤 점에서 특별한가요? 예수님은 완전한 하나님이시며, 완전한 인간이세요.**

성경 이야기

DVD 마태복음 3장, 마가복음 1장, 누가복음 3장, 요한복음 1장을 펴고, 설교 영상(지도자용 팩)을 보여 주거나 이야기 성경을 들려준다. 이야기를 들려줄 때, 인도자가 세례 요한처럼 분장(긴 가운, 가죽 벨트, 수염, 꿀통 등)해도 좋다. 또는 성경 이야기의 마지막 부분에서 물이 담긴 대야에 인형을 넣으며 세례는 어떻게 받는 것인지 보여 주어도 좋다.

세례 요한은 들을 준비가 된 모든 사람들에게 말했어요. "회개하라! 천국이 가까이 왔다!" 사람들은 자신의 죄를 고백하면서 요단강에서 세례를 받았어요. 그러나 예수님이 요한에게 세례를 받으러 오셨을 때 요한은 이해할 수 없었어요. 예수님에게는 씻어야 할 죄가 없었으니까요! 그러나 예수님은 이것이 하나님이 원하시는 일이라는 것을 아셨어요. **예수님은** 죄가 없으셨지만, 하나님께 순종해 **죄인들처럼 세례를 받으셨어요.**

예수님이 물에서 올라오시자마자 성령이 비둘기같이 내려왔고, 하늘에서 소리가 들렸어요. "이는 내가 사랑하는 아들이다. 내가 그를 기뻐한다!" 예수님의 순종은 하나님을 기쁘시게 했어요. 하나님 백성의 순종은 하나님을 기쁘시게 해요.
세례에는 매우 중요한 메시지가 담겨 있어요. 세례는 하나님께서 우리를 어떻게 구원하시고 죽음에서 생명으로 인도하시는지 나타내요. 또한 죄에서 벗어나 하나님과 함께하는 완전히 새로운 삶을 시작하는 것을 상징해요. 그렇기 때문에 세례 요한은 예수님이 세례받기 원하셨을 때 혼란스러웠던 거예요. 예수님은 죄를 지은 적이 없는 분이기 때문에 어떤 죄에서도 돌이킬 필요가 없으셨어요. 예수님은 이미 하나님 아버지와 완전한 관계를 맺으며 살고 계셨어요. 그렇다면 예수님은 왜 세례를 받으려고 하셨을까요?
예수님은 세례를 받으심으로써 죄인인 우리와 같아지고 우리를 위한 모범이 되셨어요. 또한 예수님은 앞으로 올 일의 상징으로 세례를 받으셨어요. 예수님은 자신의 죽음과 장례를 나타내기 위해 물에 들어가시고, 부활을 나타내기 위해 물에서 다시 나오셨어요(롬 6:3~11 참조).

가스펠 링크

우리는 세례를 받을 때 이렇게 선포해요. "하나님은 우리를 위해 죽으신 예수님을 믿는 믿음을 통해 우리를 구원하십니다!" 세례는 이제 죄에 대하여 죽고, 예수님을 위해 살며, 예수님의 가족이 되는 것을 의미해요. 바로 교회의 일원이 된다는 의미이지요.
예수님은 죄가 없으셨지만, 하나님께 순종해 **죄인들처럼 세례를 받으셨어요.** 세례는 예수님의 죽음과 부활을 상징해요. 또한 우리가 예수님을 믿을 때, 죄에서 돌이켜 예수님을 위해 사는 새로운 삶을 살게 된다는 사실을 기억하게 해요.

복음 초청

성경과 103쪽 복음 초청 가이드를 이용해서 아이들에게 그리스도인이 되는 법을 설명해 준다. 따로 상담해 줄 사람을 정해 주고 궁금한 점이 있으면 물어보도록 격려한다.

이 시간 예수님을 마음에 모시고 싶은 친구는 함께 기도해요.

기도

사랑하는 하나님, 죄인들을 구원하기 위해 예수님을 보내 주셔서 감사합니다. 예수님을 통해 보여 주신 하나님의 사랑에 늘 감사하며, 우리의 생각과 마음과 행동이 하나님을 따를 수 있도록 도와주세요. 언제나 겸손하게 하나님께 순종하신 예수님의 모습을 본받아 하나님 말씀에 순종하는 우리가 되게 해 주세요. 예수님의 이름으로 기도합니다. 아멘.

적용

TIP 설교 도입이나 적용으로 활용하거나 영상을 본 뒤 소그룹으로 나누어 풍성한 대화를 이어 갈 수 있습니다.

세례를 받고 싶다면 왜 받고 싶은지 그 이유를 생각해 보세요. 세례는 사람이 죄에서 구원받는 방법이 아니라는 점을 기억하세요. 이 생각을 하며 오늘의 영상을 함께 보아요.

DVD 적용 예화 영상(지도자용 팩)을 보여 준다.
조종사 복장을 모두 갖춰 입었다고 조종사가 될 수 있는지 물어본다. 조종사복을 입었다고 해서 자격 없는 사람이 조종사가 되지는 않는다는 점을 강조한다.

조종사 복장은 그 사람이 조종사가 되었다는 사실을 사람들에게 나타내는 것에 불과해요. 이처럼 세례는 우리가 예수님을 믿어 구원받았다는 것을 사람들에게 나타내는 방식이에요. **예수님은** 죄가 없으셨지만, 하나님께 순종해 **죄인들처럼 세례를 받으셨어요.** 하나님은 우리가 회개하고 세례를 받음으로 우리가 예수님을 믿고 의지한다는 것을 다른 사람들에게 보이기 원하세요.

가스펠 **소그룹**

(10~20분)

나침반

말씀을 지우며 암송해요!

준비물 1단원 암송(108쪽), **화이트보드, 보드마커, 지우개**

① 요한복음 3장 16절을 어절 단위로 나누고, 각 어절의 첫 글자만 화이트보드에 쓴다.

② 아이들에게 각 어절의 첫 글자를 보고 아는 만큼 소리 내어 암송 구절을 말해 보라고 한다.

③ 아이들과 함께 화이트보드에 적힌 1단원 암송 구절을 완성한다.

④ 아이들이 암송 구절을 외우면 몇 개의 단어를 하나씩 지우면서 암송 구절을 외우게 한다.

보물 지도

예수님의 세례 vs 우리들의 세례

준비물 성경, 1단원 암송(108쪽), **화이트보드, 보드마커**

① 화이트보드에 큰 원 2개가 서로 교차하도록 벤다이어그램을 그린다.

② 첫 번째 원에는 '예수님의 세례', 두 번째 원에는 '우리의 세례'라고 제목을 붙인다.

③ 성경에서 마태복음 3장 13~17절을 찾게 하고, 오늘의 성경 이야기를 복습한다.

④ 아이들에게 예수님이 받으신 세례와 우리가 받는 세례를 비교해 말해 보라고 한다.

⑤ 첫 번째 원에는 예수님의 세례, 두 번째 원에는 우리의 세례에 관한 내용을 쓰고, 공통적인 내용은 가운데 겹치는 부분에 쓴다.

⑥ 비교한 내용을 함께 살펴본 뒤, 아이들에게 세례와 관련한 질문을 한다.

1 오늘 성경 이야기에서 누가 세례를 받았나요? 죄가 없으신 예수님

2 오늘날에는 어떤 사람들이 세례를 받나요? 회개하는 죄인

3 예수님은 어디에서 세례를 받으셨나요? 요단강

4 오늘날에는 어디에서 세례를 받나요? 교회, 세례당, 물속

5 예수님은 왜 세례를 받으셨나요? 하나님께 순종하고, 우리에게 본을 보이시려고 세례를 받으셨다

6 우리는 왜 세례를 받나요? 예수님의 본을 따르고, 우리가 예수님을 믿는다는 것을 사람들에게 보여 주기 위해서다

7 예수님께 세례를 베푼 사람은 누구인가요? 세례 요한

8 누가 우리에게 세례를 베푸나요? 목사님, 교회 지도자

9 누구의 세례가 하나님을 기쁘시게 하나요? 예수님과 우리

— **예수님은** 죄가 없으셨지만, 하나님께 순종해 **죄인들처럼 세례를 받으셨어요.** 예수님을 믿는 우리는 예수님을 본받아 세례를 받을 수 있어요. 세례는 우리가 예수님을 믿고 의지하며, 하나님의 영광을 위해 살겠다는 것을 상징해요. 그러나 세례가 우리를 죄에서 구원하는 것은 아니라는 사실을 기억하세요. 우리는 오직 예수님을 믿는 믿음으로만 구원받을 수 있어요.

탐험하기

예수님을 붙여라

준비물 학생용 교재 20쪽, 47쪽 색지 또는 일반 색종이, 풀

① 색종이나 학생용 교재 47쪽에 있는 색지를 손으로 잘게 찢으라고 한다.

② 밑그림을 따라 종이를 풀로 붙여 예수님, 물, 성령의 비둘기를 완성하게 한다.

③ 예수님이 왜 세례 요한에게 세례를 받으셨는지 아이들과 이야기를 나눈다.

예시

— 예수님은 하나님께 온전히 순종하는 삶을 사셨어요. 죄가 없으신 예수님은 왜 세례를 받으셨을까요? 예수님은 하나님께 순종해 세례를 받음으로 예수님이 하나님의 아들

이시고 우리가 예수님을 따라야 한다는 것을 보여 주셨어요. 세례는 하나님이 예수님을 믿는 사람들의 삶에 주신 변화를 세상에 나타내는 표시예요.

낱말을 찾아라

준비물 **학생용 교재 21쪽, 연필, 성경**

① 아이들에게 가로세로 힌트를 풀어 십자 퍼즐을 완성해 보라고 한다.

② 답을 찾기 어려우면, 성경을 참고해도 좋다고 말해 준다.

③ 예수님이 세례 요한에게 받으신 세례는 어떤 의미가 있는지 아이들과 이야기를 나누어 본다.

— **예수님은** 죄가 없으셨지만, 하나님께 순종해 **죄인들처럼 세례를 받으셨어요.** 세례는 예수님의 죽음과 부활을 상징해요. 또한 우리가 예수님을 믿을 때, 죄에서 돌이켜 예수님을 위해 사는 새로운 삶을 살게 된다는 사실을 기억하게 해요.

세례 Q&A *

준비물 **A4용지, 연필**

① 아이들에게 종이와 연필을 나누어 주고, 세례에 관해 궁금한 점들을 적어 보라고 한다.

예) · 사람들은 왜 세례를 받아야 하나요?

· 나는 언제 세례를 받아야 하나요?

· 세례의 의미는 무엇인가요?

· 세례를 받고 난 후에는 어떻게 신앙생활을 해야 하나요?

② 질문지가 완성되면 목사님이나 전도사님을 찾아가 물어보게 한다.

③ 질문에 대한 답을 정리한 후 그 내용을 함께 나누게 한다.

TIP 교회에 세례식이 있는 경우 세례식을 함께 참관하는 것도 좋다.

— 세례에 관해 알려 주신 분들께 너무 감사해요. 오늘 우리는 죄가 없으신 예수님이 하나님께 순종해 세례를 받으셨다는 것을 배웠어요. 세례는 우리가 예수님을 믿고 의지하며, 죄에서 돌이켜 예수님을 위해 사는 새로운 삶을 살게 된다는 사실을 기억하게 해요.

보물 상자

나만의 기록장

준비물 **학생용 교재 22쪽, 연필**

① 아이들 주변에 세례에 관해 전혀 들어보지 못한 사람이 있는지 물어본다.

② 그 사람에게 세례의 의미를 어떻게 알려 줄 수 있을지 적어 보라고 한다.

— 세례는 예수님을 믿는 사람에게 매우 중요한 일이라는 점을 기억하세요. 세례가 우리를 구원하는 것은 아니에요. 하지만 하나님은 세례를 통해 우리가 예수님을 믿고 그분을 위해 사는 모습을 세상에 보여 주기 원하세요.. 예수님을 사랑하고 믿는다는 것을 세상에 보여 주기 위해 언제 세례를 받을지 부모님과 함께 이야기를 나누어 보세요.

메시지 카드

이번 주 메시지 카드로 부모님과 함께 오늘 배운 성경 이야기를 나누어 보라고 한다.

기도

하나님, 예수님은 용서받아야 할 죄가 없으셨지만 세례를 받으셨습니다. 우리가 예수님을 믿고 죄에서 돌이켜 하나님의 자녀가 되게 해 주셔서 감사합니다. 사람들과 이 복음을 함께 나누게 도와주세요. 예수님의 이름으로 기도합니다. 아멘.

6

예수님이 시험을 이기셨어요

마 4:1~11

단원 암송

하나님이 세상을 이처럼 사랑하사 독생자를 주셨으니 이는 그를 믿는 자마다 멸망하지 않고 영생을 얻게 하려 하심이라(요 3:16).

성경의 초점

예수님은 어떤 점에서 특별한가요?
예수님은 완전한 하나님이시며,
완전한 인간이세요.

본문 속으로

세례를 받으신 후, 예수님은 성령에 이끌려 광야로 가셨습니다. 예수님은 40일 동안 금식해 굶주리셨습니다. 거짓의 영이며 시험하는 자인 마귀(Devil)가 예수님 앞에 나아와 말했습니다. "네가 만일 하나님의 아들이어든 명하여 이 돌들로 떡덩이가 되게 하라"(마 4:3).

마귀는 예수님이 누구이신지 알고 있었습니다. 그러면서도 예수님께 하나님의 아들임을 증명하라고 요구했습니다. 그는 창세기 3장에서 시작된 구속의 계획을 망치려고 했습니다. 사탄(Satan)은 에덴동산에서 하와에게 순진하게 들리는 질문을 던져 의심을 일으켰습니다. "하나님이 참으로 너희에게 동산 모든 나무의 열매를 먹지 말라 하시더냐"(창 3:1). 아담과 하와는 하나님이 금지하신 나무의 열매를 먹었고, 이로 인해 죄가 세상에 들어오게 되었습니다.

예수님은 죄의 저주를 끊기 위해 이 세상에 오셔서 아담이 실패한 일을 이루셨습니다. 오늘 성경 이야기에 나오는 마귀의 목적은 에덴동산에서 했던 것과 비슷한 속임수를 사용해 예수님을 죄에 이르게 하는 것이었습니다. 예수님이 죄 없는 구원자 역할을 담당하지 못하도록 말입니다.

마귀는 예수님의 약함을 이용했습니다. 그는 예수님께 돌을 떡으로 만들라고 유혹했습니다. 성전에서 뛰어내리라고도 말했습니다. 자신에게 엎드려 경배하면 십자가를 지지 않고도 사명을 완수할 수 있다고도 했습니다. 예수님이 대답하셨습니다. "사탄아, 물러가라!"

히브리서의 저자는 예수님은 대제사장이며, 우리의 연약함을 동정하지 못하실 이가 아니요, 모든 일에 우리와 똑같이 시험을 받으신 이라고 말합니다(히 4:15 참조). 예수님은 믿는 자들의 표본이십니다. 그런데 우리가 어떻게 시험에 굴복하겠습니까?

● ● 티칭 포인트

우리는 시험을 당할 때 담대하게 하나님의 보좌로 나아가 하나님의 도움을 얻을 수 있으며, 우리의 죄에 대해 하나님의 자비와 용서를 구할 수 있다는 것을 아이들에게 강조하십시오(히 4:14~16 참조). 우리에게는 희망이 있습니다. 예수님이 죄인인 우리를 위해 죽으시고 다시 살아나셨기 때문입니다.

주 제

예수님이 광야에서 시험받으셨어요.

가스펠 링크

예수님은 시험받으셨지만, 하나님을 신뢰하며 결코 죄를 짓지 않으셨어요.

예수님이 시험을 이기셨어요 마 4:1~11

예수님은 세례를 받으신 후에 성령님에 이끌리어 광야로 가셨어요. 예수님은 40일 밤낮을 금식하셨어요. 예수님은 기도하며 예수님을 향한 하나님의 계획에 관해 생각하셨어요. 40일 동안 아무것도 드시지 못한 예수님은 배가 고팠어요. 그때 마귀가 예수님께 다가왔어요. 마귀는 사람들이 죄를 짓도록 유혹하고 시험하는 자예요. 그가 말했어요. "네가 하나님의 아들이라면 이 돌이 떡이 되게 해 보아라."

만약 예수님이 능력을 사용해서 돌을 떡으로 만들어 먹었다면 더는 배고프지 않으셨겠지요. 하지만 예수님은 그렇게 하지 않으셨어요. 능력을 사용하는 대신 필요를 채워 주시는 하나님을 신뢰하셨어요. 예수님이 마귀에게 말씀하셨어요. "성경에 '사람이 떡으로만 사는 것이 아니라 하나님의 입에서 나오는 모든 말씀으로 살 것이다'라고 기록됐다."

마귀는 다시 예수님을 시험했어요. 그는 예수님을 거룩한 성전이라고 불리는 예루살렘으로 데려가 성전 꼭대기에 세우고 말했어요. "네가 정말 하나님의 아들이라면 뛰어내려 보아라. 성경에 하나님이 천사들을 보내 너의 발이 돌에 부딪히지 않게 보호하실 것이라고 기록되지 않았느냐?" 마귀는 성경에 있는 말씀을 사용했어요. 그러나 예수님은 마귀의 명령이 어리석은 명령이라는 것을 아셨어요. 예수님이 다시 말씀하셨어요. "또 성경에 기록되기를 '주 너의 하나님을 시험하지 말라'라고 하였다."

이번에 마귀는 예수님을 아주 높은 산으로 데려갔어요. 그는 예수님께 세상 모든 나라와 그 영광을 보여 주었어요. "네가 만약 내게 엎드려 경배하면 이 모든 것을 너에게 주겠다." 예수님은 이번에도 마귀의 유혹에 넘어가지 않으셨어요. 예수님이 말씀하셨어요. "사탄아, 물러가라! 성경에 기록되기를 '주 너의 하나님께 경배하고 오직 그분만을 섬기라'라고 하였다." 그러자 마귀가 예수님을 떠나고 천사들이 와서 예수님을 섬겼어요.

예수님은 마귀의 시험을 받는 동안 결코 죄를 짓지 않으셨어요. 그리고 이제 사역을 시작하셨지요. 예수님이 사람들에게 말씀하셨어요. "회개하라. 천국이 가까이 왔다!" 예수님은 갈릴리 바닷가에서 어부들을 부르셨어요. 베드로, 안드레, 야고보, 요한이 그물을 버리고 예수님을 따랐어요.

●● 가스펠 링크

예수님은 시험받으셨지만, 하나님을 신뢰하며 결코 죄를 짓지 않으셨어요. 완전한 희생 제물이신 죄 없는 예수님은 십자가에서 죽으심으로 우리를 죄에서 구원하고 시험에 맞서 싸울 힘을 우리에게 주셨어요.

가스펠 준비
(10~20분)

*는 선택 활동입니다.

환영

도착하는 아이들을 반갑게 맞이하고 헌금, 출석, QT 등을 확인하며 격려한다. 새 친구가 있다면 소개한다. 편안한 분위기에서 안부를 물으며 오늘의 말씀과 관련된 화제로 이야기를 나눈다. 하지 말아야 하는 행동을 한 적이 있는지 물어본다. 혹은 하지 말아야 하는 행동을 하지 않기로 결심한 적이 있는지 물어본다. 자발적으로 대화에 참여하도록 이끈다.

예) "유혹이란 무엇인가요?", "하지 말아야 하는 행동을 한 적이 있나요?" 등.

우리는 매일 유혹을 만나요. 어떤 때는 유혹을 뿌리치고 하나님께 순종하지만, 어떤 때는 유혹에 넘어가 죄를 짓게 되지요. 오늘 우리는 유혹을 받았지만 결코 죄를 짓지 않았던 사람에 관한 이야기를 들을 거예요. 혹시 어떤 내용을 배울지 짐작하는 사람이 있나요?

마음 열기

엿보지 말아요! *

준비물 종이봉투, 여러 가지 물건

① 아이들에게 눈을 감으라고 말한다.
② 이야기를 듣는 동안 이상한 소리가 들려도 절대 눈을 뜨지 말라고 이른다.
③ 종이봉투에 준비한 물건을 넣고, 그 물건의 모양, 색깔, 사용 목적 등을 알려 준다.
④ 봉투를 부스럭거리고 과장된 말을 하며 아이들의 호기심을 자극한다.
예) "오, 와우!", "이 봉투에 무엇이 있는지 아마 상상도 못할 거예요!", "정말 멋진데요?", "보면 정말 놀랄 거예요" 등.
⑤ 아이들에게 눈을 뜨고 봉투 안에 있는 물건이 무엇인지 맞혀 보라고 한다.
⑥ 봉투 안에 있는 물건을 꺼내 확인한다.

물건에 관한 설명을 듣는 동안 혹시 엿보고 싶은 유혹을 느꼈나요? 여러분 중에서 살짝 눈을 뜨고 본 사람이 있나요? 오늘 성경 이야기에는 예수님이 시험받으신 이야기가 나와요. 예수님은 유혹에 넘어가셨을까요?

어떻게 해결할까요? *

준비물 색인 카드, 도화지, 색연필

① 색인 카드에 문구를 각각 쓴다. (화재, 말벌의 습격, 왕따, 시험 전날 게임의 유혹)
② 아이들을 4팀으로 나누고, 도화지와 색연필을 나누어 준다.
③ 각 팀에 문구가 적힌 카드를 한 장씩 나누어 주고, 그 안에 적힌 상황이라면 어떻게 해결할지 그림으로 그리라고 한다.
④ 그림이 완성되면 팀별로 나와 상황에 대한 해결 방법을 발표하게 한다.

모두 좋은 해결 방법을 이야기해 주었어요. 오늘 우리는 성경 이야기를 통해 예수님이 유혹이라는 문제를 어떻게 해결하셨는지 배우게 될 거예요. 함께 성경 이야기에 귀 기울여 보아요.

교사를 위한 기록장 이 과를 준비하면서 깨닫게 된 묵상을 정리해 보세요.

· 하나님이나 나에 대해 새롭게 알게 된 것은?

· 기억하고 싶은 하나님의 약속은?

· 아이들에게 전하고 싶은 메시지는?

가스펠 **설교**
(15~30분)

들어가기

준비물 배낭, 성경, 뚜껑이 있는 큰 상자

배낭을 메고, 성경과 뚜껑이 있는 큰 상자를 들고 들어온다. 배낭과 성경을 내려놓고, 상자를 들어 보인다.

안녕하세요, 여러분! 만나서 반가워요. 이 상자가 무엇인지 아세요? 할머니가 주신 상자예요. 이 안에 뭐가 있는지 궁금해서 참을 수가 없어요! 그런데 문제는 할머니가 아주 분명하게 말씀하셨다는 거예요. "생일날까지 절대 상자를 열지 말아라!"라고 말이에요. 제 생일은 얼마 남지 않았어요. 하지만 이 안에 뭐가 있는지 정말 열어 보고 싶어요.

여러분도 저처럼 선물을 열어 볼 때가 되기 전에 먼저 보고 싶다는 유혹을 받은 적이 있나요? 그 궁금함을 참기란 정말 힘이 들지요. 상자를 옆에 내려놓는다. 하지만 보고 싶은 마음을 꾹 참고 생일까지 기다리면 할머니가 기뻐하실 거예요.

연대표

아브라함부터
예수님까지

마리아가
하나님을 찬양했어요

예수님이
태어나셨어요

예수님이
성전에 계셨어요

예수님이
세례를 받으셨어요

예수님이
시험을 이기셨어요

우리는 예수님이 이 땅에 아기로 태어나신 이야기를 배웠어요. **예수님은 아브라함과 다윗의 자손으로 오셨어요.** 그리고 예수님이 베들레헴에서 가축이 지내는 곳에서 태어나신 것과 아이였을 때 성전에 계셨던 이야기를 배웠어요. **예수님은 하나님 아버지의 계획을 이루기 위해 이 땅에 오셨어요.** 성인이 된 **예수님은 죄인들처럼 세례를 받으셨어요.** 예수님이 세례를 받음으로써 하나님께 순종하신 후에, 성령님은 40일 동안 예수님을 광야로 인도하셨어요! 그곳에 있는 동안 예수님은 아무것도 먹지 않으셨어요. 예수님은 금식하고 하나님에게 기도하셨어요. 이번 주 성경 이야기는 바로 이 시기에 일어났던 일이에요. 오늘의 성경 이야기의 제목은 "예수님이 시험을 이기셨어요"예요.

성경의 초점

지금까지 우리는 예수님이 우리와 다른 점에 관해 배웠어요. '성경의 초점' 질문과 답을 기억하나요? 아이들의 대답을 기다린다. 맞아요. **"예수님은 어떤 점에서 특별한가요?" "예수님은 완전한 하나님이시며, 완전한 인간이세요."** 예수님은 완전한 하나님이셨기 때문에 죄에 대한 유혹을 느끼지 않으셨을 것이라 생각할 수 있어요. 그러나 예수님은 완전한 사람이기도 하셨다는 점을 기억하세요. 예수님도 우리처럼 유혹을 받으셨어요.

성경 이야기

DVD 마태복음 4장을 펴고, 설교 영상(지도자용 팩)을 보여 주거나 이야기 성경을 들려준다. 이야기를 들려줄 때 예수님이 말씀하시는 부분에서는 한쪽으로 몸을 돌려 이야기하고 마귀가 말하는 부분에서는 반대로 몸을 돌려 마치 서로 대화하듯이 연출해도 좋다. 또는 마귀가 예수님을 시험하는 각 장면 중간에 잠시 멈추어 아이들에게 "여러분은 예수님이 이 유혹에 질 거라고 생각하세요?"라고 묻고 답해도 좋다.

예수님은 세례를 받으신 후에 성령님께 이끌려 광야로 가셨어요. 마귀에게 시험을 받기 위해서였어요. 예수님은 40일 동안 아무것도 먹지 않으셨어요. 마귀는 예수님이 배고프다는 것을 알고 돌을 떡으로 바꾸라고 유혹했어요. 그러나 예수님은 하나님의 말씀으로 마귀를 물리치셨어요.

이번에는 마귀가 예수님을 성전 꼭대기에 세우고는 뛰어내리라고 말했어요. 틀림없이 천사들이 그를 구원할 것이라고 말하면서요. 예수님은 다시 하나님의 말씀으로 유혹을 뿌리치셨어요. 세 번째로 마귀는 세상의 모든 나라와 권세로 예수님을 유혹했어요. 만약 예수님이 그에게 경배하면 이 모든 것을 주겠다고 말이에요. 그럴싸한 제안이지요? 아니에요! 예수님은 이번에도 거부하시며 하나님의 말씀으로 응답하셨어요. 마귀는 예수님을 3번 시험했고, 예수님은 3번의 시험 모두 하나님의 말씀으로 물리치셨어요.

정말 놀라운 일이에요! 만약 제가 예수님과 같은 상황에 있었다면 죄를 지었을지도 모르겠어요. 저는 음식 없이는 하루도 버티지 못하거든요. 그런데 40일 금식이라니요! 게다가 모든 나라와 큰 권세를 갖게 된다고 상상해 보세요. 세상에! **예수님은 어떤 점에서 특별한가요? 예수님은 완전한 하나님이시며, 완전한 인간이세요. 예수님이 광야에서 시험받으셨어요.** 하지만 예수님은 결코 죄를 짓지 않으셨어요. 저는 성경에 이 이야기가 나와서 정말 감사해요.

가스펠 링크

혹시 마귀에게 유혹을 받았던 다른 사람을 기억하나요? 아담과 하와는 유혹을 뿌리치지 못하고 죄를 지었어요. 죄가 세상에 들어온 이후 모든 것이 영향을 받았어요. 우리는 모두 죄인이에요. 우리에게 예수님이 필요한 이유이지요. **예수님이 광야에서 시험받으셨어요.** 하지만 예수님은 결코 죄를 짓지 않으셨어요. 완전하고 의로우신 예수님은 우리를 죄에서 자유롭게 할 수 있는 유일한 분이세요. 예수님은 우리를 위해 십자가에서 죽으시고 다시 살아나셨어요. 우리가 예수님을 믿으면, 하나님은 우리 죄를 용서하시고 유혹을 이길 힘을 주세요.

DVD

복음 초청

성경과 103쪽 복음 초청 가이드를 이용해서 아이들에게 그리스도인이 되는 법을 설명해 준다. 따로 상담해 줄 사람을 정해 주고 궁금한 점이 있으면 물어보도록 격려한다.

이 시간 예수님을 마음에 모시고 싶은 친구는 함께 기도해요.

기도

하나님, 우리에게 말씀을 주셔서 감사합니다. 그리고 예수님을 보내 주셔서 감사합니다. 예수님은 유혹을 받으셨지만, 결코 죄를 짓지 않으셨습니다. 우리도 예수님처럼 우리를 넘어뜨리려는 죄의 유혹을 이길 수 있도록 힘을 주시고 함께해 주세요. 날마다 하나님의 말씀을 마음에 새기고 하나님을 신뢰하며 살도록 인도해 주세요. 예수님의 이름으로 기도합니다. 아멘.

적용

TIP 설교 도입이나 적용으로 활용하거나 영상을 본 뒤 소그룹으로 나누어 풍성한 대화를 이어 갈 수 있습니다.

여러분은 어떤 종류의 유혹을 느끼나요? 영상을 보는 동안 이 질문에 대해 생각해 보세요.

DVD 적용 예화 영상(지도자용 팩)을 보여 준다.

유혹을 받은 벤저민에 관해 이야기를 나눈다.

벤저민은 어떤 유혹을 받았나요? 벤저민이 쿠키의 유혹을 뿌리치기 힘들다면 어떻게 해야 할까요? 성경은 하나님이 유혹에 맞서 싸울 힘을 우리에게 주신다고 말해요. 죄의 유혹에 맞서 싸우는 것은 하나님이 우리에게 가장 중요하다는 것을 삶으로 나타내는 거예요. 우리가 하고 싶은 그 어떤 일보다 하나님을 더 중요하게 여길 때 유혹을 이길 수 있어요.

고린도전서 10장 13절을 펼친다. 자원하는 아이가 있다면 큰 소리로 읽게 한다.

예수님이 광야에서 시험받으셨어요. 하지만 예수님은 결코 죄를 짓지 않으셨어요. 예수님은 마귀가 유혹할 때 하나님의 말씀으로 응답하셨어요. 예수님은 죄를 이기는 좋은 방법을 보여 주셨어요. 우리는 모두 죄인임을 알아야 해요. 예수님은 우리가 받는 모든 유혹을 받으셨어요. 하지만 결코 죄를 짓지 않으셨지요. 완전하고 의로우신 예수님은 완전한 희생 제물이 되어 우리가 받아야 할 죄의 벌을 대신 받으셨어요. 우리는 죄를 지어도 죄에서 돌이켜 하나님께로 돌아갈 수 있어요. 우리가 예수님을 믿고 회개하면, 하나님은 우리를 용서하시고 죄의 유혹을 이길 힘을 주세요.

가스펠 **소그룹**
(10~20분)

나침반

거꾸로 암송해요!

준비물 **1단원 암송 구절**(108쪽)

① 아이들에게 1단원 암송 구절을 암송해 보라고 한다.

② 이번에는 암송 구절을 한 번에 한 단어씩 거꾸로 말하게 한다.

예) 하심이라, 하려, 얻게, 영생을, 않고, 자마다, … 세상을, 하나님이

③ 거꾸로 말하기가 끝나면, 다시 원래대로 암송 구절을 빨리 말하게 한다.

④ 정해진 시간 안에서 암송 구절을 원래대로 또는 거꾸로 외워 보라고 한다.

— 저는 1단원 암송 구절이 정말 좋아요! 아직 요한복음 3장 16절을 외우지 못했다면, 지금 시도해 보세요. 이 말씀은 예수님이 왜 세상에 오셨는지를 알려 주어요. 오늘의 성경 이야기는 **예수님이 광야에서 시험받으셨지만** 결코 죄를 짓지 않으셨다는 사실을 가르쳐 주어요.

보물 지도

말씀의 검

준비물 **성경**

① 아이들을 3팀으로 나누고, 각 팀에 성경 구절을 지정해 준다.

예) A팀-마 4:1~4 / B팀-마 4:5~7 / C팀-마 4:8~10

② 팀에서 한 명씩 일어나 지정된 성경 구절을 읽게 한다.

③ 각 팀에 같은 질문을 반복해서 한다.

1 예수님은 어디 계셨나요?

- A팀 : 광야 (마 4:1)
- B팀 : 성전 꼭대기 (마 4:5)
- C팀 : 높은 산 (마 4:8)

2 마귀는 예수님을 어떻게 유혹했나요?

- A팀 : 돌을 떡으로 바꾸라고 했다 (마 4:3)
- B팀 : 성전에서 뛰어내리라고 했다 (마 4:6)
- C팀 : 자신(마귀)에게 경배하라고 했다 (마 4:9)

3 예수님은 어떻게 반응하셨나요? (하나님의 말씀으로)

- A팀 : "기록되었으되 사람이 떡으로만 살 것이 아니요 하나님의 입으로부터 나오는 모든 말씀으로 살 것이라" (마 4:4)
- B팀 : "또 기록되었으되 주 너의 하나님을 시험하지 말라" (마 4:7)
- C팀 : "기록되었으되 주 너의 하나님께 경배하고 다만 그를 섬기라" (마 4:10)

— **예수님은 어떤 점에서 특별한가요? 예수님은 완전한 하나님이시며, 완전한 인간이세요.** 예수님은 죄와 싸우는 것이 얼마나 힘든 일인지 잘 아셨어요. 우리가 죄의 유혹에 빠질 때, 하나님께 유혹을 이길 힘을 달라고 기도하고 도움을 구할 수 있어요.

탐험하기

하나님의 말씀에

준비물 **학생용 교재 24쪽, 연필**

① 아이들과 오늘의 성경 이야기를 간단하게 복습한다

② 이모티콘에 따라 자음을 조합해 예수님이 하신 말씀을 완성해 보라고 한다.

첫 번째 시험

사람이 __떡__ 으로만 살 것이 아니요
하나님의 입으로부터 나오는
모든 __말__ __씀__ 으로 살 것이라 하였느니라
마태복음 4장 4절

두 번째 시험

__주__ 너의 __하__ __나__ __님__ 을
__시__ __험__ 하지 말라 하였느니라
마태복음 4장 7절

세 번째 시험

주 너의 __하__ __나__ __님__ 께 __경__ __배__ 하고
다만 그를 섬기라 하였느니라
마태복음 4장 10절

— 이 말씀은 모두 예수님이 시험을 당하셨을 때 하신 말씀들이에요. 예수님은 시험당할 때 어떻게 승리하셨나요? 바로 하나님의 말씀으로 승리하셨어요. 성경은 죄의 유혹에

맞서 싸울 가장 강력하고 효과적인 무기예요. 우리도 유혹이 다가올 때 하나님의 말씀으로 승리할 수 있어요.

어리석은 시험

준비물 **학생용 교재 25쪽, 연필, 성경**

① 그림을 보고 일어난 순서에 맞게 번호를 쓰라고 한다.

② 각 장면에서 예수님이 마귀에게 대답하신 성경 구절의 장절을 빈칸에 적어 보게 한다.

— **예수님이 광야에서 시험받으셨어요.** 하지만 예수님은 결코 죄를 짓지 않으셨어요. 죄를 용서받으려면 완전한 희생 제물이 필요해요. 완전하고 의로우신 예수님은 십자가에서 죽으심으로 우리를 죄에서 구원하셨어요. 예수님을 믿으면, 하나님은 우리를 용서하시고 죄의 유혹을 이길 힘을 주세요.

3가지 유혹 *

준비물 **성경**

① 아이들을 '예수님' 팀과 '마귀' 팀으로 나누고, 오늘의 성경 이야기를 주제로 연극을 준비하게 한다.

② 각 팀에서 맡은 역할로 연기 대결을 한다.

③ 정해진 시간 안에서 배우와 역할을 바꾸어 진행한다.

④ 예수님이나 마귀를 연기했을 때 기분이 어땠는지 서로 이야기해 본다.

— **예수님은 완전한 하나님이시며, 완전한 인간이세요.** 이 세상에 오신 예수님은 우리가 겪는 것과 같은 유혹을 경험하셨어요. **예수님이 광야에서 시험받으셨어요.** 하지만 예수님은 결코 죄를 짓지 않으셨어요. 우리는 죄의 유혹을 이길 힘을 달라고 하나님께 도움을 구할 수 있어요.

보물 상자

나만의 기록장

준비물 **학생용 교재 26쪽, 연필**

① 아이들에게 죄를 짓도록 유혹을 받은 적이 있는지 물어보고, 어떤 유혹이었는지 적어 보라고 한다.

② 어떤 사람에게는 유혹인 것이 다른 사람에게는 유혹이 아닐 수도 있음을 말해 준다.

③ 죄의 유혹을 이겨 낼 방법은 어떤 것이 있을지 함께 이야기한다.

— 마귀는 예수님을 속여 죄를 짓게 만들려고 했던 것처럼, 우리를 속이고 죄를 짓게 만들어요. 그러나 성경은 마귀에게 대적하면 그가 우리를 피할 것이라고 말해요(약 4:7 참조). 하나님은 성령님을 통해 우리에게 힘을 주시고 죄를 짓지 않도록 도와주세요.

메시지 카드

이번 주 메시지 카드로 부모님과 함께 오늘 배운 성경 이야기를 나누어 보라고 한다.

기도

하나님, 우리에게 말씀을 주셔서 하나님이 어떤 분인지 보여 주시고 유혹과 싸우도록 도와주셔서 감사합니다. 예수님이 말씀과 믿음으로 유혹에 맞서 싸우신 것처럼 우리도 하나님의 말씀을 더욱 붙들며 살도록 인도해 주세요. 언제나 우리를 붙드시고 힘 주시는 하나님을 의지합니다. 예수님의 이름으로 기도합니다. 아멘.

2 단원 우리와 함께 계시는 하나님

예수님은 광야에서 마귀의 유혹을 이기고 이 땅에서의 사역을 시작하셨습니다. 예수님은 유대 지방을 여행하면서 사람들을 만나시고 그들의 삶을 변화시키셨습니다. 예수님은 인간의 모습으로 오셔서 사람들과 함께하는 하나님의 아들이심을 나타내시고, 오직 자신을 통해서만 구원받을 수 있다는 것을 보여 주셨습니다.

니고데모가
예수님을
찾아왔어요

세례 요한이
예수님에 관해
말했어요

예수님이
사마리아 여인을
만나셨어요

The Gospel Project

예수님이
고향에서
거절당하셨어요

예수님이
삭개오를
만나셨어요

카운트다운 – 차곡차곡 블럭

카운트다운 영상(지도자용 팩)을 틀고 예배 준비 자세를 취하도록 격려한다. 예배가 시작되는 시간에 영상이 끝나도록 맞추어 놓는다. 영상이 끝나기 30초 전에 예배 인도자는 정해진 위치에 서서 조용히 기도하는 모범을 보인다.

무대 배경 – 거리 축제

거리 축제처럼 장식한다. 텐트 또는 부스를 설치하고 깃발을 걸어 놓거나 천장에 부스를 알리는 현수막을 세운다. 예배실 곳곳에 헬륨 풍선을 배치한다. 보드 게임판이나 물건을 파는 가판대를 만든다. 화면에 '거리 축제' 배경 이미지(지도자용 팩)를 띄운다.

7

니고데모가 예수님을 찾아왔어요

요 3:1~21

단원 암송

예수께서 이르시되
내가 곧 길이요 진리요 생명이니
나로 말미암지 않고는 아버지께로 올 자가
없느니라(요 14:6).

성경의 초점

예수님은 자신이 누구라고 하셨나요?

예수님은 자신이 메시아라고 말씀하셨어요.

본문 속으로

예수님의 사역이 시작되었습니다. 예수님의 첫 번째 기적은 혼인잔치에서 물을 포도주로 바꾼 사건이었습니다. 예수님은 예루살렘 성전을 깨끗하게 하셨습니다. 예수님이 표적을 행하시니 많은 사람이 예수님의 이름을 믿었습니다(요 2:23 참조). 예수님은 아마도 가르치는 일에 대부분의 시간을 사용하셨을 가능성이 높습니다. 하루를 마치고 나면 그분은 혼자서 혹은 제자들과 함께 시간을 보내셨습니다. 그러던 어느 날 밤 니고데모라는 사람이 예수님을 찾아왔습니다.

니고데모는 바리새인이었으며, 하나님의 율법을 가르치는 유대인의 종교 지도자였습니다. 또 유대인의 통치 기구인 산헤드린 공의회의 일원이기도 했습니다. 그는 표면상 도덕적인 사람들이 모인 그룹의 일원이었던 것입니다. 그는 율법을 준수하는 유대인이라면 하나님께 받아들여질 것이라고 믿었습니다. 그러나 예수님은 니고데모의 신앙 체계를 완전히 뒤엎을 만한 교훈을 주셨습니다.

종교 지도자들은 목수였던 예수님이 신학에 문외한일 것이라고 여겼습니다(막 6:3 참조). 그러나 그들은 예루살렘에서 예수님의 놀라운 표적을 보게 되었습니다. 결국 니고데모는 결론을 내렸습니다. "당신은 하나님께로부터 오신 선생인 줄 아나이다"(요 3:2).

대화를 시작한 것은 니고데모였지만, 대화의 주제를 고른 이는 예수님이셨습니다. 예수님을 만난 니고데모는 당혹스러웠습니다. "사람이 거듭나지 아니하면 하나님의 나라를 볼 수 없느니라"(요 3:3)라는 예수님의 말씀은 니고데모를 참으로 당황하게 만들었습니다. 예수님은 사람의 영적인 탄생은 육적인 탄생과 마찬가지로 사람이 스스로 할 수 있는 것이 아니라고 설명하셨습니다.

예수님은 불순종한 이스라엘과 놋뱀에 관한 구약의 이야기를 니고데모에게 상기시키셨습니다. 이스라엘 사람들은 스스로 도울 수 없었지만, 하나님을 의지해 장대에 매달린 놋뱀을 보았을 때 치유함을 얻었습니다(민 21:4~9 참조).

티칭 포인트

모든 사람은 죄인으로 태어났으며, 영적으로 죽어서 하나님에게서 멀어졌다는 사실을 아이들에게 강조하십시오. 우리가 구원받는 것은 우리의 노력 때문이 아니라 하나님의 영으로 말미암는 것입니다. 우리는 오직 예수 그리스도와 완성하신 십자가를 바라볼 때 구원을 얻을 수 있습니다.

주 제

예수님은 니고데모에게 그가 다시 태어나야 한다고 말씀하셨어요.

가스펠 링크

영원한 생명은 하나님만이 주실 수 있는 선물이에요. 하나님은 세상을 사랑하셔서 독생자를 주셨어요. 그를 믿는 자는 멸망하지 않고 영원한 생명을 얻을 수 있어요.

니고데모가 예수님을 찾아왔어요 요 3:1~21

예수님은 유월절 만찬을 위해 예루살렘으로 가셨어요. 어느 날 밤 유대인의 지도자 한 사람이 예수님을 만나러 왔어요. 그의 이름은 니고데모였어요. 바리새인인 니고데모는 하나님의 율법을 공부하고 가르쳤으며, 율법을 지키려고 열심히 노력하는 사람이었어요. 그는 예수님에 대해 더 알고 싶었어요.

예수님을 찾아온 니고데모가 말했어요. "랍비여, 우리는 선생님이 하나님으로부터 오신 분임을 압니다. 하나님께서 함께하시지 않는다면 선생님이 행하신 그런 표적들을 아무도 행할 수 없습니다."

니고데모는 제대로 알고 있었어요. 예수님은 니고데모에게 "내가 진실로 진실로 너에게 말한다. 누구든지 다시 태어나지 않으면 하나님 나라를 볼 수 없다"라고 말씀하셨어요.

니고데모는 혼란스러웠어요. 그는 하나님의 율법을 모두 지키면 천국에 갈 수 있다고 생각했거든요. 예수님의 말씀이 전혀 이해되지 않았어요! 그는 "나이가 들어 늙은 사람이 어떻게 다시 태어나겠습니까?"라고 예수님께 물었어요.

예수님이 말씀하셨어요. "내가 진실로 진실로 네게 말한다. 누구든지 물과 성령으로 태어나지 않으면 하나님 나라에 들어갈 수 없다. 육체에서 난 것은 육체이고 성령으로 난 것은 영이다." 아기는 태어날 때 부모님에게서 육체적인 생명을 받아요. 이 육체적인 삶은 영원하지 않아요. 그러나 성령님은 사람들이 하나님과 영원히 함께 살 수 있도록 영적인 삶을 주세요.

예수님은 니고데모에게 "다시 태어나야 한다고 말한 것을 이상하게 여기지 말아라"라고 말씀하셨어요. 하지만 니고데모는 여전히 이해하지 못했어요. "어떻게 이런 일이 있을 수 있습니까?"

예수님이 말씀하셨어요. "내가 진실로 진실로 네게 말한다. 우리는 아는 것을 말하고 본 것을 증언하는데 너희는 우리 증언을 받아들이지 않고 있다. 내가 땅의 것을 말해도 너희가 믿지 않는데 하물며 하늘의 것을 말하면 어떻게 믿겠느냐? 하늘에서 내려온 사람, 곧 인자 외에는 하늘로 올라간 사람이 없다. 모세가 광야에서 뱀을 든 것 같이 인자도 들려야 한다. 그것은 그를 믿는 사람마다 영생을 얻게 하려는 것이다."

예수님은 니고데모에게 하나님의 계획에 관해 말씀하셨어요. "하나님께서 세상을 이처럼 사랑하셔서 독생자를 주셨으니 이는 그를 믿는 사람마다 멸망하지 않고 영생을 얻게 하시려는 것이다. 하나님께서 자신의 아들을 세상에 보내신 것은 세상을 심판하시려는 것이 아니라 그 아들을 통해 세상을 구원하시려는 것이다. 아들을 믿는 사람은 심판을 받지 않는다. 그러나 믿지 않는 사람은 이미 심판을 받았다. 하나님의 독생자의 이름을 믿지 않았기 때문이다."

●● 가스펠 링크

니고데모에게는 새로운 생명, 즉 영원한 생명이 필요했어요. 그러나 어떤 것으로도 영원한 생명을 얻을 수 없었어요. 영원한 생명은 하나님만이 주실 수 있는 선물이에요. 하나님은 세상을 사랑하셔서 독생자를 주셨어요. 그를 믿는 자는 멸망하지 않고 영원한 생명을 얻을 수 있어요.

가스펠 준비
(10~20분)

*는 선택 활동입니다.

환영

도착하는 아이들을 반갑게 맞이하고 헌금, 출석, QT 등을 확인하며 격려한다. 새 친구가 있다면 소개한다. 편안한 분위기에서 안부를 물으며 오늘의 말씀과 관련된 화제로 이야기를 나눈다. 누군가를 새로 만났던 경험에 관해 이야기를 나눈다. 자발적으로 대화에 참여하도록 이끈다.

예) "최근에 새로운 친구를 만난 적이 있나요?", "어디에서 만났나요?", "기분이 어땠나요?", "무슨 이야기를 나누었나요?" 등.

— 흥미로운 경험들을 했네요! 오늘 성경 이야기에서는 한 남자가 예수님을 만나기 위해 찾아왔어요. 예수님이 그 사람에게 어떤 말을 했는지 궁금하지 않나요?

마음 열기

질문의 짝 *

① 아이들에게 자리에서 일어나라고 한다.

② 인도자가 질문하면, 답을 말하면서 자신과 같은 답을 말한 아이를 찾아 짝을 지으라고 말해 준다. 짝을 지은 아이들은 그 자리에 앉으라고 한다.

- 가장 좋아하는 색은 무엇인가요?
- 몇 살인가요?
- 형제나 자매가 몇 명 있나요?
- 좋아하는 과목은 무엇인가요?

③ 모든 아이가 짝을 찾을 때까지 질문을 계속 한다.

— 새로운 사실을 아는 가장 좋은 방법은 바로 질문이에요. 오늘 성경 이야기에는 예수님이 하신 말씀을 이해하지 못해 예수님께 많은 질문을 했던 한 사람이 나와요. 어떤 질문을 했는지 함께 알아보아요.

오직 한 길 *

준비물 **정사각형 모양의 종이, 가위, 연필**

① 종이를 정사각형 모양으로 인원수만큼 자른다.

② 종이를 가로와 세로로 한 번씩 접어 4등분 하고, 그중 작은 사각형 하나를 잘라 'L'자 모양으로 만들어 둔다.

③ 아이들에게 'L'자 모양으로 잘라 둔 종이와 연필을 나누어 준다.

④ 종이 안에 선을 그려, 종이와 똑같은 모양으로 4등분 해 보라고 한다.

⑤ 정답을 알아낸 아이가 있으면 답을 확인한 후 종이를 숨기라고 한다.

⑥ 정해진 시간이 되면, 정답이 그려진 종이를 아이들에게 보여 준다.

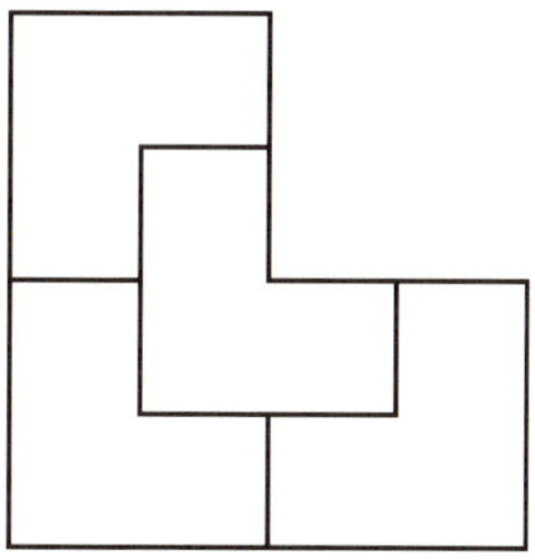

— 어떤 모양을 그려야 할지 이해하기 힘들었나요? 아마도 답을 찾기 어려웠을 거예요. 모양을 만들 방법은 하나뿐이었어요. 오늘 우리는 성경 이야기를 통해 니고데모라는 사람에 관한 이야기를 들을 거예요. 니고데모는 하나님의 나라에 들어갈 수 있는 유일한 길이 있다는 것을 들었어요. 그 방법이 무엇인지 함께 알아보아요.

교사를 위한 기록장 이 과를 준비하면서 깨닫게 된 묵상을 정리해 보세요.

· 하나님이나 나에 대해 새롭게 알게 된 것은?

· 기억하고 싶은 하나님의 약속은?

· 아이들에게 전하고 싶은 메시지는?

가스펠 **설교**
(15~30분)

들어가기

준비물 **물통, 클립보드, 종이테이프, 성경, 탁자**

물통, 클립보드, 종이테이프, 성경을 양팔 가득 들고 들어온다. 물건을 무대에 있는 탁자에 내려놓고, 양손을 허리에 대고 선다.

안녕하세요, 여러분! 저는 인도자 이름이에요. 여러분을 만나게 되어 기뻐요! 오늘 저는 거리 축제를 준비하려고 해요. 해마다 이 거리에는 여러 가지 공연, 맛있는 음식, 놀 거리가 가득한 축제가 열려요. 저는 축제가 열리면 이곳에 특별한 공간을 만들어요. 사람들이 와서 하나님이나 성경에 관해 궁금한 것을 질문할 수 있도록 말이에요. 정말 놀랍고 신나는 일이에요. 다양한 사람들과 이야기를 마음껏 나눌 수 있거든요. 사람들이 어떤 질문들을 했는지 한 번 말해 볼까요?

성경의 초점

아이들에게 위의 질문에 대한 답을 하게 한 후, 몇 명의 아이들이 질문에 대한 의견을 나누게 한다.

좋은 추리예요! 많은 사람이 알고 싶어 하는 질문은 **"예수님은 자신이 누구라고 하셨나요?"**랍니다. 이 질문의 답을 찾는 가장 좋은 방법은 성경이 어떻게 말하는지를 살펴보는 것이에요. 성경은 하나님의 말씀이에요. 그리고 성경은 하나님에 관한 진리가 무엇인지, 우리에 관한 진리가 무엇인지 알려 주어요.

성경에서 예수님은 자신에 관해 말씀하셨어요. '성경의 초점'에 대한 답을 함께 말해 볼까요? **예수님은 자신이 누구라고 하셨나요? 예수님은 자신이 메시아라고 말씀하셨어요.** 과연 성경은 예수님이 누구시며, 예수님이 왜 메시아이신지에 관해 어떻게 이야기하는지 귀 기울여 잘 들어보세요.

연대표

우리는 최근에 신약성경에 나오는 성경 이야기를 배우기 시작했어요. 신약성경이 무엇인지 말해 줄 수 있는 사람이 있나요? 아이들의 대답을 기다린다. 신약성경은 예수님의 삶과 가르침, 그리고 다시 오심에 관한 이야기예요. 그리고 초대교회에 관해서도 알려 주지요. 연대표에서 오늘의 성경 이야기를 가리킨다. 오늘의 성경 이야기는 "니고데모가 예수님을 찾아왔어요."예요. 예수님이 사람들에게 하나님에 관해 가르치기 시작하신 직후에 일어난 일이에요. 니고데모와 예수님에 관한 이야기를 함께 들어 보아요.

성경 이야기

DVD 요한복음 3장을 펴고, 설교 영상(지도자용 팩)을 보여 주거나 이야기 성경을 들려준다. 이야기를 들려줄 때 조명을 어둡게 하고 LED(건전지) 촛불을 사용해 불이 밝혀진 밤 풍경을 만든다. 또는 예수님이 말씀하시는 부분에서 한쪽으로 몸을 돌려 이야기하고, 니고데모가 말하는 부분에서는 반대로 몸을 돌려 마치 서로 대화하듯이 연출해도 좋다.

니고데모는 바리새인이었으며, 유대인의 지도자였어요. 그는 예수님이 누구신지 더 알고 싶었어요. 그래서 어느 날 밤에 예수님을 찾아갔어요. 왜 니고데모는 캄캄한 밤에 예수님을 찾아갔을까요? (그가 예수님을 만나는 것을 사람들이 보지 못하도록 하기 위해서였다)

예수님은 니고데모에게 하나님 나라를 보려면 **그가 다시 태어나야 한다고 말씀하셨어요.** 이상하게 들리지요? 니고데모는 혼란스러웠어요. 예수님의 말씀은 아기가 어머니에게서 태어나는 것처럼 태어나는 것을 말씀하신 것이 아니었어요. 바로 성령으로 거듭나는 것에 관해 말씀하신 것이었지요. 예수님은 하나님이 세상을 사랑하셔서 세상을 구원하기 위해 독생자를 보내셨다고 말씀하셨어요. 예수님은 이제 막 사역을 시작하셨지만, 이 땅에 오신 목적을 잘 아셨어요. **예**

수님은 자신이 누구라고 하셨나요? 자신이 바로 메시아라고 말씀하셨어요. 예수님은 자신이 사람들을 위해 대신 죄를 지고 십자가에서 죽게 될 것을 알고 계셨어요.

예수님은 니고데모에게 죄를 용서하시는 하나님을 믿으면, 하나님이 새로운 생명을 주실 것이라고 말씀하셨어요. 니고데모는 하나님의 율법을 모두 지키는 대신, 예수님에게 집중해야 했어요. 하나님의 모든 율법을 완전히 지키신 예수님께 말이에요.

예수님의 말씀은 니고데모에게 이상하고 혼란스럽게 들렸을 거예요. 니고데모는 유대인의 지도자였어요. 유대인들은 하나님의 율법에 순종하면 하나님의 나라에 들어갈 수 있다고 믿었어요. 아마 니고데모도 성경 공부와 기도, 희생 제사 등에 많은 시간을 보냈을 거예요. 그러나 예수님은 아무리 율법을 잘 지켜도 하나님 나라에 들어가지는 못한다고 말씀하셨어요.

가스펠 링크

모든 사람은 죄인으로 태어났고, 영적으로 다시 태어나야 해요. 우리는 육체적으로 살아서 숨을 쉬고 움직여요. 그러나 예수님 없이는 영적으로 죽어서 하나님과 분리될 수밖에 없어요. 우리는 오직 성령님을 통해서만 다시 태어날 수 있어요. 아무리 노력해도 우리 스스로는 다시 태어날 수 없어요. 다시 태어나는 일은 우리가 하는 일이 아니라, 우리에게 일어나는 일이에요. 이스라엘 백성이 광야에서 장대에 매달린 놋뱀을 바라보고 치유된 것처럼, 십자가에서 죽으신 예수님을 바라볼 때 우리는 구원을 얻을 수 있어요. 예수님을 믿으면 하나님은 우리에게 성령님을 주세요. 그리고 성령님은 우리를 변화시키세요.

DVD

복음 초청

성경과 103쪽 복음 초청 가이드를 이용해서 아이들에게 그리스도인이 되는 법을 설명해 준다. 따로 상담해 줄 사람을 정해 주고 궁금한 점이 있으면 물어보도록 격려한다.

이 시간 예수님을 마음에 모시고 싶은 친구는 함께 기도해요.

기도

하나님, 우리는 하나님에 관해 모든 것을 이해하지는 못합니다. 그러나 하나님의 말씀을 배울 때 잘 이해할 수 있도록 우리에게 지혜를 주세요. 어둠 속에 있는 우리를 빛으로 이끌어 주세요. 예수님을 믿을 때 하나님이 우리를 구원해 주신다는 것을 믿습니다. 예수님의 이름으로 기도합니다. 아멘.

적용

TIP 설교 도입이나 적용으로 활용하거나 영상을 본 뒤 소그룹으로 나누어 풍성한 대화를 이어 갈 수 있습니다.

예수님은 니고데모에게 그가 다시 태어나야 한다고 말씀하셨어요. 모든 사람은 죄인이에요. 영적으로 죽어 하나님과 분리되어 있지요. 죽은 것을 어떻게 살릴 수 있을까요? 오늘의 영상을 함께 보아요.

DVD 적용 예화 영상(지도자용 팩)을 보여 준다.

넬이 죽은 꽃을 살리지 못한 이유에 관해 함께 이야기한다.

사람에게는 새로운 생명을 만들 능력이 없어요. 영생은 오직 하나님만이 주실 수 있는 선물이에요. 하나님은 우리를 변화시켜 주세요. 그리고 우리가 다른 사람들에게 복음을 전할 때, 그들도 변화시키세요.

가스펠 **소그룹**
(10~20분)

나침반

말씀 따라

"예수께서 이르시되 내가 곧 길이요 진리요 생명이니 나로 말미암지 않고는 아버지께로 올 자가 없느니라"(요 14:6).

준비물 **2단원 암송**(109쪽), **A4용지, 사인펜**

① 아이들에게 2단원 암송을 보여 주고 큰 소리로 함께 읽는다.

② 암송 구절을 어절 단위로 나누어 종이에 각각 쓴다.

③ 종이를 섞은 후, 한 걸음 정도의 간격을 두고 바닥에 흩어 놓는다.

④ 한 사람씩 암송 구절의 순서대로 종이를 밟고 지나가며 2단원 암송을 말하게 한다.

⑤ 모든 아이가 순서대로 지나갈 때까지 놀이를 계속한다.

— 모두 잘했어요! 우리는 앞으로 몇 주 동안 2단원 암송을 외워 볼 거예요. 요한복음 14장 6절 말씀은 천국에 가기 위해 우리가 할 수 있는 일은 아무것도 없다는 사실을 기억하게 해요.

보물 지도

빈칸을 채워라!

준비물 **화이트보드, 보드마커**

① 화이트보드에 오늘의 주제를 쓰고, 핵심 단어들을 지워 빈칸을 만든다.

② 아이들을 2~3팀으로 나누고, 첫 번째 팀에게 빈칸에 들어갈 단어 하나를 말하게 한다.

③ 정답을 맞히면 빈칸에 단어를 적고, 다음 팀에게 단어를 맞힐 기회를 준다. 틀린 답을 말하면 아래의 질문을 한다.

④ 질문의 정답을 맞히면 주제 문장의 빈칸에 들어갈 단어를 말할 기회를 한 번 더 준다.

⑤ 주제 문장을 완성할 때까지 단어 말하기와 질문을 계속한다.

1 밤중에 예수님을 찾아간 사람은 누구인가요? 니고데모 (요 3:1~2)

2 니고데모는 어떤 사람이었나요?
그는 바리새인이었으며, 유대인의 지도자였다 (요 3:1)

3 예수님은 사람이 하나님의 나라를 보려면 어떻게 해야 한다고 말씀하셨나요? 예수님은 니고데모에게 그가 다시 태어나야 한다고 말씀하셨다 (요 3:3)

4 예수님은 구약성경의 어떤 이야기를 들려주셨나요?
모세가 광야에서 놋뱀을 든 이야기 (요 3:14)

5 하나님은 세상에 대한 사랑을 어떻게 나타내셨나요?
독생자를 주셨다 (요 3:16)

6 예수님을 믿는 사람은 무엇을 얻게 되나요?
영원한 생명 또는 영생 (요 3:16)

7 예수님은 자신이 누구라고 하셨나요?
예수님은 자신이 메시아라고 말씀하셨어요.

— 예수님은 니고데모에게 하나님의 위대한 계획에 관해 말씀하셨어요. 요한복음 3장 16~17절을 읽는다. 니고데모는 종교 지도자였어요. 아마 하나님 나라에 들어가기 위해 하나님의 율법을 지키고 옳은 일을 하기 위해 노력했을 거예요. 그러나 **예수님은 니고데모에게** 하나님 나라에 들어가기 위해서는 **그가 다시 태어나야 한다고 말씀하셨어요.** 다시 태어나는 것은 우리가 할 수 있는 일이 아니에요. 우리에게 일어나는 일이지요. 예수님은 죄 때문에 영적으로 죽은 우리에게 새로운 생명, 영생을 주시려고 이 땅에 오셨어요. 우리가 예수님을 주님과 구세주로 믿을 때, 하나님은 우리 죄를 용서하시고 우리에게 영생을 주세요!

탐험하기

예수님께 가는 길

준비물 **학생용 교재 28쪽, 연필**

아이들에게 니고데모가 예수님을 만날 수 있도록 미로를 통과해 보라고 한다.

── 니고데모는 밤에 예수님을 만나러 갔어요. 예수님은 니고데모에게 다시 태어나지 않으면 하나님 나라를 볼 수 없다고 말씀하셨어요. 다시 태어나는 것, 즉 거듭나는 것이 무엇인지 알고 싶어 하는 니고데모에게 하나님이 세상을 사랑하셔서 독생자를 보내셨고, 그 독생자가 바로 예수님이라고 말씀하셨어요. 구원에 이르는 단 하나의 길은 예수님밖에 없답니다.

오직 한 길

준비물 **학생용 교재 29쪽, 연필**

① 아이들에게 보기의 단어들을 자모음으로 풀어 요한복음 14장 6절의 빈칸에 넣어 보라고 한다.

② 동그라미 안에 들어가는 자모음을 조합해 문장을 완성하게 한다.

ㅇ ㅖ ㅅ ㅜ 께서 이르시되

내가 곧 ㄱ ㅣ ㄹ 이요 ㅈ ㅣ ㄴ ㄹ ㅣ 요

ㅅ ㅐ ㅇ ㅁ ㅕ ㅇ 이니

나로 말미암지 않고는 ㅇ ㅏ ㅂ ㅓ ㅈ ㅣ 께로

올 자가 없느니라(요 14:6).

영원한 생명은

하나님만이 주실 수 있는 선물이에요.

── 니고데모는 예수님이 누구신지 궁금했어요. 그래서 밤에 예수님을 찾아가 하나님의 진리에 관해 물었어요. **예수님은 니고데모에게 그가 다시 태어나야 한다고 말씀하셨어요.** 구원받을 수 있는 단 하나의 길은 예수님이에요. 예수님이 우리의 길과 진리와 생명이 되시기 때문에, 오직 예수님을 통해서만 하나님께 갈 수 있어요.

바로 보아요! *

준비물 (아이들이 흔하게 볼 수 있는) **여러 가지 물건, 상자, 눈가리개**

① 여러 가지 물건을 상자에 넣어 둔다.

② 자원자를 한 명 뽑아 눈가리개를 씌우고, 상자 안에 손을 넣어 물건 하나를 잡으라고 한다.

③ 물건을 만진 느낌을 말하면, 나머지 아이들이 어떤 물건인지 맞히게 한다.

④ 정해진 시간 안에서 자원자를 새로 뽑아 놀이를 반복한다.

── 니고데모는 캄캄한 밤에 예수님을 찾아갔어요. 그는 하나님에 관한 진리를 알지 못했지요. **예수님은 니고데모에게 그가 다시 태어나야 한다고 말씀하셨어요.** 예수님은 사람들에게 하나님에 관한 진리를 전하고 그들을 빛으로 데려오기 위해 이 땅에 오셨어요.

보물 상자

나만의 기록장

준비물 **학생용 교재 30쪽, 연필**

① 아이들에게 스스로 할 수 있는 일과 다른 사람의 도움이 필요한 일은 어떤 것이 있는지 생각해 보고, 목록을 작성하게 한다.

② 구원은 우리 스스로 이루어 낼 수 있는 일인지, 아니라면 구원을 얻기 위해서는 누구의 도움이 필요한지 물어본다.

③ 오직 예수님을 통해서만 구원을 얻을 수 있다는 사실을 강조한다.

── 거듭난다는 것은 우리 스스로 할 수 있는 일이 아니에요. 예수님을 믿으면 하나님은 우리에게 영원한 생명을 주세요.

메시지 카드

이번 주 메시지 카드로 부모님과 함께 오늘 배운 성경 이야기를 나누어 보라고 한다.

기도

하나님, 우리 힘으로는 다시 태어날 수 없지만 예수님이 우리를 위해 십자가에서 죽으시고 다시 살아나심으로 우리가 영원한 생명을 얻게 되었습니다. 예수님을 믿고 하나님의 자녀로 다시 태어나게 해 주셔서 감사합니다. 예수님의 이름으로 기도합니다. 아멘.

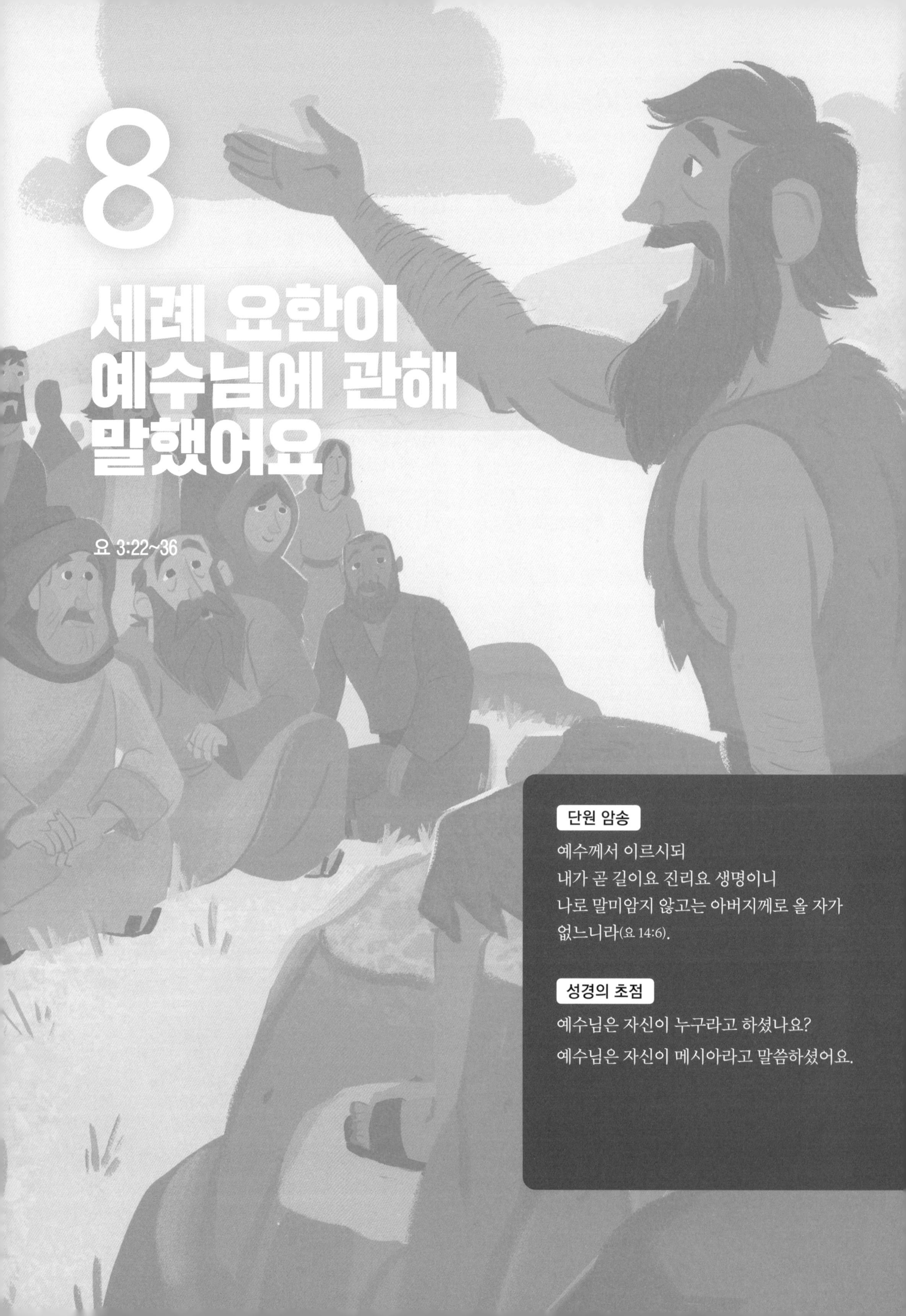

8

세례 요한이 예수님에 관해 말했어요

요 3:22~36

단원 암송

예수께서 이르시되
내가 곧 길이요 진리요 생명이니
나로 말미암지 않고는 아버지께로 올 자가
없느니라(요 14:6).

성경의 초점

예수님은 자신이 누구라고 하셨나요?
예수님은 자신이 메시아라고 말씀하셨어요.

본문 속으로

예수님은 제자들과 함께 유대 지방으로 가셨습니다. 예수님과 제자들은 사람들과 함께 지내며 세례를 베푸셨습니다. 세례 요한도 세례를 베풀고 있었습니다. 세례는 자기의 죄를 회개한 사람들이 깨끗하게 되었음을 나타내는 외적인 표시입니다.

세례 요한의 제자들은 세례 요한이 세례를 주고 증언했던 사람의 제자들이 다른 사람들에게 세례를 베푸는 모습을 보았습니다. 아마도 그들은 세례 요한의 사역을 지켜야 한다고 느꼈을지 모릅니다. 하지만 세례 요한은 하나님이 자신에게 주신 인생의 목적을 그들에게 설명해 주었습니다. 세례 요한은 그가 태어나기 오래전부터 주의 길을 예비하는 자로 하나님께 선택되었습니다(말 3:1; 사 40:3 참조).

세례 요한은 예수님이 누구신지 이해했습니다. 예수님이 자신보다 크시다고 말한 세례 요한의 증언을 참고해 다음과 같이 두 사람을 비교해 보십시오.

첫째, 그들은 누구입니까? 세례 요한은 "나는 그리스도가 아니요"(요 3:28)라고 분명히 말했습니다. 그는 신랑이 아니라 신랑의 친구였습니다. 신랑은 바로 예수님이셨습니다(요 3:29 참조). 예수님과 세례 요한은 어디서 왔습니까? 세례 요한은 땅에서 왔고 땅에 속해 있었습니다. 그러나 예수님은 위로부터 오셨으며 만물 위에 계신 분이십니다(요 3:31 참조).

둘째, 그들은 각각 어떤 일을 했습니까? 세례 요한은 "그는 흥하여야 하겠고 나는 쇠하여야 하리라"(요 3:30)라고 말했습니다. 그는 빛에 대해 증언하는 증인이었습니다(요 1:7~8 참조). 또한 광야에서 말씀을 전하는 소리였습니다(요 1:23 참조). 하지만 예수님은 말씀 그 자체이셨습니다(요 1:14 참조). 세례 요한은 물로 세례를 주었지만, 예수님은 성령으로 세례를 주셨습니다(요 1:33 참조).

마지막으로, 그들은 왜 이 땅에 있었습니까? 예수님보다 먼저 보냄을 받은 세례 요한은 예수님으로 인해 기뻐했습니다(요 3:28~29 참조). 그리고 예수님은 사람들에게 영원한 생명을 주려고 이 땅에 오셨습니다(요 3:36 참조). 하나님의 구원 계획에 따라 예수님이 이 땅에서 사역을 하시도록 세례 요한이 자리를 비켜 줄 때가 되었습니다.

● ● 티칭 포인트

아이들에게 모든 사람은 영적으로 죽고 하나님에게서 분리된 죄인으로 태어난다는 사실을 알려 주십시오. 우리는 우리의 노력이 아닌 하나님의 영(성령)으로만 다시 태어날 수 있습니다. 이제 예수님의 사역은 시작되었고, 예수님은 죄인들을 구원하시려는 하나님의 뜻에 순종하실 것입니다.

주 제

예수님은 하늘에서 이 땅으로 오셨어요.

가스펠 링크

예수님이 이 땅에 오셔서 사역을 시작하시자 세례 요한은 사명을 다하고 기꺼이 물러났어요.

세례 요한이 예수님에 관해 말했어요 요 3:22~36

예수님은 제자들과 함께 예루살렘을 떠나 유대 땅으로 가셨어요. 예수님이 그곳에서 지내시는 동안 이 소식을 들은 사람들이 예수님을 찾아왔어요. 예수님은 사람들을 가르치시고 세례를 베푸셨어요.

세례 요한도 가까운 곳에서 사람들에게 세례를 베풀고 있었어요. 세례 요한을 따르던 몇몇 제자들이 논쟁을 벌였어요. 그들은 세례 요한에게 가서 "랍비여, 보십시오. 요단강 건너편에서 선생님과 함께 계시던 분, 곧 선생님께서 증언하신 그분이 세례를 주고 있는데, 사람들이 모두 그분에게로 모여듭니다"라고 말했어요.

세례 요한은 그들에게 이렇게 대답했어요. "하늘에서 주시지 않으면 사람은 아무것도 받을 수 없다. 내가 전에 '나는 그리스도가 아니고 그분보다 앞서 보냄을 받은 사람이다'라고 한 말을 증언할 사람들은 바로 너희다."

세례 요한은 결혼식을 예로 들어 설명했어요. 결혼식에서 신부와 결혼하는 사람은 신랑이에요. 신랑의 친구는 신랑을 기다렸다가 신랑의 음성이 들리면 기뻐해요. 신랑의 친구가 기뻐하는 마음, 이것이 세례 요한이 느꼈던 마음이에요. 그는 메시아이신 예수님이 오셔서 기뻤어요.

세례 요한은 또한 결혼식은 신랑에게 아주 특별한 날이라는 것을 알았어요. 신랑의 친구가 자신을 드러내서는 안 되지요. 세례 요한은 "그는 흥하여야 하고, 나는 쇠하여야 한다"라고 말했어요.

세례 요한은 왜 예수님이 자신보다 더 중요한 분이신지 설명했어요. 세례 요한은 땅에서 났고 땅에 속한 것에 관해서만 이야기할 수 있었어요. 반면 예수님은 하늘에서 오셨기 때문에 하늘에 관한 것을 이야기하실 수 있었어요! 직접 보고 들으셨기 때문이지요. 그러나 아무도 예수님의 말씀을 믿지 않았어요.

세례 요한이 말했어요. "예수님의 말씀을 받아들인 사람은 하나님이 참되신 분임을 인정하는 것이다. 하나님께서 보내신 그분은 하나님의 말씀을 전하신다."

그리고 "아버지께서는 아들을 사랑하셔서 모든 것을 아들의 손안에 맡기셨다. 아들을 믿는 사람에게는 영생이 있다. 그러나 아들에게 순종하지 않는 사람은 생명을 보지 못하고 도리어 하나님의 진노를 받게 된다"라고 말했어요.

가스펠 링크

세례 요한은 사람들에게 약속된 메시아이신 예수님의 오심을 예비하라고 말했어요. 예수님이 이 땅에 오셔서 사역을 시작하시자 세례 요한은 사명을 다하고 기꺼이 물러났어요.

가스펠 준비
(10~20분)

*는 선택 활동입니다.

환영

도착하는 아이들을 반갑게 맞이하고 헌금, 출석, QT 등을 확인하며 격려한다. 새 친구가 있다면 소개한다. 편안한 분위기에서 안부를 물으며 오늘의 말씀과 관련된 화제로 이야기를 나눈다. 고향이나 태어난 곳이 어디인지 물어본다. 자발적으로 대화에 참여하도록 이끈다.

예) "태어난 곳이 어딘가요?", "먼 곳에서 태어난 사람 있나요? 어디인가요? 해외인가요?", "같은 병원에서 태어난 친구들 있나요?" 등.

— 우리는 태어난 곳이 다 다를 수 있어요. 하지만 우리는 모두 이 땅에서 태어났어요. 예수님도 마리아와 요셉의 아들로 이 땅에서 태어나셨어요. 하지만 세례 요한은 예수님이 진짜 어디서 오셨는지 증언하고 있어요. 세례 요한이 어떤 얘기를 했는지 함께 배워 보아요.

마음 열기

'ㅇ'으로 시작하는 이름 *

준비물 공

① 아이들을 둥글게 세우고, 한 아이에게 공을 건네준다.

② 공을 받은 아이는 'ㅇ'으로 시작하는 이름을 말한 후, 옆 사람에게 공을 전달해야 한다고 말해 준다.

예) 영규, 영찬, 유리, 은정, 은미, 요한, 예지, 아영, 유진, 은혜, 은아, 윤주, 윤태, 연이, 영삼, 이레, 예슬, 우진, 예수, 여호수아 등.

③ 아이들이 'ㅇ'으로 시작하는 이름을 말할 수 없을 때까지 놀이를 계속한다.

— 여러분 중에 요한이나 예수님을 말한 사람이 있나요? 오늘의 성경 이야기는 예수님과 세례 요한에 관한 이야기예요. 함께 들어 보아요.

친구에게 소개하기 *

준비물 A4용지, 연필

① 아이들을 2명씩 짝을 지은 후, 연필과 종이를 각각 나누어 준다.

② 자신의 짝과 서로 질문하고 답하며, 인터뷰한 내용을 종이에 쓰라고 한다.

- 당신의 이름은 무엇인가요?
- 당신은 어디에서 태어났나요?
- 당신은 어디에서 살고 있나요?
- 당신은 어떤 일을 좋아하나요?

③ 인터뷰가 끝나면, 아이들이 돌아가며 서로의 짝을 소개하게 한다.

— 여러분의 짝을 소개해 주어서 고마워요. 오늘 우리는 세례 요한이 사람들에게 예수님을 소개한 일에 관해 배울 거예요. 세례 요한은 예수님이 누구신지, 어디에서 오셨는지, 무엇을 하러 오셨는지를 어떻게 소개했을까요? 함께 알아보아요.

교사를 위한 기록장 이 과를 준비하면서 깨닫게 된 묵상을 정리해 보세요.

· 하나님이나 나에 대해 새롭게 알게 된 것은?

· 기억하고 싶은 하나님의 약속은?

· 아이들에게 전하고 싶은 메시지는?

가스펠 **설교**
(15~30분)

들어가기

DVD **준비물** **탁자, '무엇이든 물어보세요!' 포스터**(지도자용 팩), **성경, 물통**

탁자에 '무엇이든 물어보세요!'라고 쓰인 포스터가 붙어 있다. 인도자는 성경과 물통을 들고 들어와 탁자 옆에 선다.

안녕하세요, 여러분! 다시 만나 반가워요. 저는 거리 축제를 위한 부스를 준비하고 있어요. 여러분은 제가 이번 축제에서 하나님과 성경에 관해 궁금해하는 사람들에게 도움을 줄 수 있는 공간을 마련하려 한다는 것을 기억할지 모르겠어요. 이곳에서 많은 사람을 만나고, 사람들이 알고 싶어 하는 것들에 답해 줄 거예요. 성경을 들어 보인다. 저는 성경을 볼 때마다 참 감사해요. 하나님의 말씀인 성경은 하나님과 우리에 관한 진리를 말해 주어요. 우리가 가지고 있는 많은 질문에 대한 답이 바로 성경에 나와 있지요.

연대표

예수님은 이 땅에서 많은 사람을 만나셨어요. 지난주에 우리는 밤중에 예수님을 찾아왔던 니고데모라는 사람에 관해 배웠어요. 니고데모는 종교 지도자였어요. 그리고 예수님은 니고데모에게 사람이 율법을 지키는 것으로는 구원받을 수 없다고 말씀하셨어요. 예수님은 니고데모에게 그가 거듭나야 한다고 말씀하셨어요.

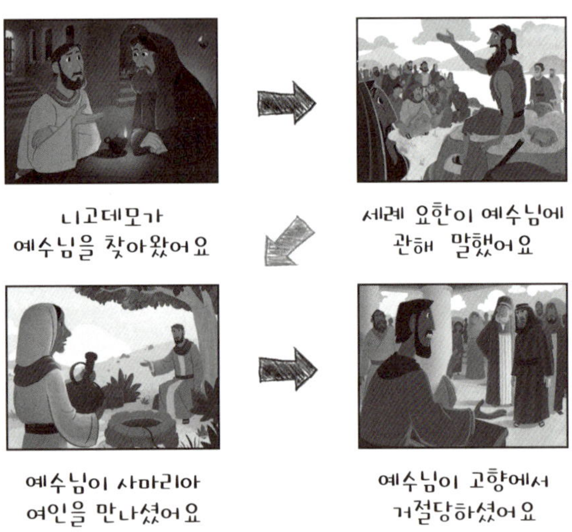

연대표에서 오늘의 성경 이야기를 가리킨다. 오늘 우리는 세례 요한에 관해 배울 거예요. 성경 이야기에서 세례 요한은 예수님에 관해 말해요. 어떤 이야기인지 함께 들어 보아요.

성경의 초점

혹시 '성경의 초점' 질문을 기억하는 사람이 있나요? 이 질문은 많은 사람이 저에게 하는 질문이기도 해요. 그리고 이 질문에 대한 답은 성경에 나와요. 2단원의 '성경의 초점' 질문은 **"예수님은 자신이 누구라고 하셨나요?"**예요. 그 대답은 **"예수님은 자신이 메시아라고 말씀하셨어요"**랍니다. 메시아라는 말은 '기름 부음 받은 자' 또는 '선택받은 자'라는 뜻이에요. 우리말로는 '구세주'라고 하지요. 메시아는 사람들을 죄에서 구원하기 위해 하나님이 보내신 사람이에요. 예수님이 바로 그 메시아세요! 오늘의 성경 이야기를 듣는 동안 이것을 꼭 기억하세요.

성경 이야기

DVD 요한복음 3장을 펴고, 설교 영상(지도자용 팩)을 보여 주거나 이야기 성경을 들려준다. 이야기를 들려줄 때 화이트보드에 신랑과 신부의 그림을 그리고, 신랑 옆에 웃고 있는 신랑의 친구를 한 명 그려도 좋다.

하나님은 세례 요한을 선택하시고 그에게 특별한 임무를 주셨어요. 세례 요한의 일은 예수님을 위해 사람들을 준비시키는 것이었어요. 그가 사람들에게 메시아에 관해 전하고 죄에서 돌이키라고 말하자, 많은 사람이 세례 요한을 따랐어요. 세례 요한은 사람들이 회개하고 죄에서 돌아섰다는 것을 보여 주는 상징으로 세례를 베풀었어요.

세례 요한을 따르는 사람들은 많은 사람이 예수님을 따르고 그분에게 세례를 받는 모습을 보고 당황했어요. 세례 요한은 당황한 그들에게 세례 요한은 자신이 누구인지, 그리고 예수님이 어떤 분이신지 설명했어요. 세례 요한은 "나는 메시아가 아니다"라고 말했어요. 그는 자신을 따르는 사람들이 자신에게 구원을 기대하는 것을 원하지 않았어요. 사람들이 예수님을 바라보기 원했어요.

세례 요한은 사람들을 죄에서 구원할 수 없었어요. 그의 역할은 사람들이 구원할 능력이 있는 단 한 분을 바라보게 하는 것이었어요. 바로 예수님이지요! **예수님은 자신이 누구라고 하셨나요? 예수님은 자신이 메시아라고 말씀하셨어요.**

세례 요한은 말하기를 예수님은 결혼식의 주인공인 신랑이고, 자신은 신랑의 친구와 같다고 했어요. 모든 사람은 신랑의 친구보다 신랑이 더 중요하다는 사실을 알아요.
그는 또한 자신이 어디에서 왔는지, 그리고 예수님은 어디에서 오셨는지 말했어요. 세례 요한은 이 땅에 속해 있지만, **예수님은 하늘에서 이 땅으로 오셨어요.**
세례 요한은 또 자신과 예수님에 관해서 다음과 같이 이야기했어요. "그는 흥하여야 하겠고 나는 쇠하여야 한다." 자신이 이제 사람들에게 주목받는 자리에서 내려올 때가 되었다는 것을 알고 있었어요. 예수님이 이 땅에 오셨기 때문이지요!

가스펠 링크

세례 요한은 사람들에게 약속된 메시아이신 예수님의 오심을 예비하라고 말했어요. 예수님이 이 땅에 오셔서 사역을 시작하시자 세례 요한은 사명을 다하고 기꺼이 물러났어요. 세례 요한은 사람들이 예수님을 주목하기를 원했어요. 예수님이야말로 사람들을 죄에서 구원할 분이시기 때문이에요. 우리가 예수님을 주님이자 구세주로 믿으면, 하나님은 우리의 죄를 용서하시고 영원한 생명을 주세요.

찬양

완전한 계획

아브라함과 다윗의 자손 온 세상의 구원자
우릴 구하실 아버지 계획 그 약속을 지키려
하늘로부터 이 땅에 오신 하나님의 아들
하나님 떠난 세상을 회복하실 완전한 계획 예수

우리를 위해 순종함으로 희생의 제물 되신
그 약속 위에 사람이 되어 구유에 누이신 분
하늘로부터 이 땅에 오신 하나님의 아들
하나님 떠난 세상을 회복하실 완전한 계획

하늘로부터 이 땅에 오신 하나님의 아들
하나님 떠난 세상을 회복하실 완전한 계획 예수.

복음 초청

성경과 103쪽 복음 초청 가이드를 이용해서 아이들에게 그리스도인이 되는 법을 설명해 준다. 따로 상담해 줄 사람을 정해 주고 궁금한 점이 있으면 물어보도록 격려한다.
이 시간 예수님을 마음에 모시고 싶은 친구는 함께 기도해요.

기도

하나님, 하나뿐인 아들을 이 땅에 보내 주셔서 감사합니다. 우리는 예수님이 하나님의 진리와 하나님 나라에 관해 말씀하신 것을 믿습니다. 우리가 예수님을 믿고 죄에서 돌이킬 때 구원의 선물을 주셔서 감사합니다. 하나님만 사랑합니다. 예수님의 이름으로 기도합니다. 아멘.

적용

TIP 설교 도입이나 적용으로 활용하거나 영상을 본 뒤 소그룹으로 나누어 풍성한 대화를 이어 갈 수 있습니다.

여러분은 자신이 어떤 일을 정말 잘한다고 생각해 본 적이 있나요? 그런데 그 일을 더 잘하는 누군가가 나타난다면 어떤 기분이 들까요? 이 질문을 기억하며 영상을 함께 보아요.
적용 예화 영상(지도자용 팩)을 보여 준다.
프로스티 컵케이크를 만든 제빵사가 상을 받았을 때 프로스티의 마음은 어땠을지 아이들과 함께 이야기를 나눈다.
'최고의 컵케이크상'은 누구에게 돌아가야 했을까요? 컵케이크일까요? 아니면 제빵사일까요? 우리의 삶을 통해 영광 받을 이는 누구일까요? 우리 자신일까요? 아니면 하나님이실까요? 왜 그럴까요? 우리가 정말 열심히 노력해서 이루어낸 일이라 할지라도 하나님이 영광을 받으셔야 마땅해요. 하나님이 우리를 창조하시고 우리에게 특별한 재능과 능력을 주셨기 때문이에요. 우리가 유명해지는 대신 예수님이 널리 알려질 방법은 무엇이 있을까요?

가스펠 **소그룹**
(10~20분)

나침반

말씀을 외워요

준비물 **2단원 암송**(109쪽), **색인 카드, 사인펜, 접착테이프**

① 2단원 암송 구절의 어절을 인도자를 포함한 인원수대로 나누어 색인 카드에 각각 써 둔다.

② 암송 구절의 맨 처음 어절이 적힌 카드를 제외하고 나머지를 아이들에게 한 장씩 나누어 준다.

③ 아이들에게 카드를 등 뒤에 테이프로 붙이고, 암송 구절 순서대로 줄을 서라고 한다.

④ 차례로 앞사람의 등에 붙은 카드를 읽으며, 2단원 암송 구절을 모두 말하게 한다. 맨 앞에 있는 아이에게는 인도자가 암송 구절의 첫 번째 어절을 보여 준다.

⑤ 암송 구절을 처음부터 끝까지 순서대로 말하면, 함께 큰 소리로 외워 보게 한다.

— 이번 한 주 동안 2단원 암송을 외워 보세요. 세례 요한은 자신을 따르는 사람들에게 예수님이 하늘에서 오셨으며 예수님을 믿는 사람들은 누구나 영원한 생명을 갖게 될 것이라고 말했어요. 요한복음 14장 6절은 예수님이 하신 말씀이에요. 이 성경 구절은 세례 요한이 예수님에 관한 진리를 전했다는 것을 보여 주어요.

보물 지도

'뻥이요!' 카드를 피하라!

DVD **준비물** **'뻥이요!' 카드**(110쪽, 지도자용 팩), **종이봉투, 화이트보드, 보드마커**

① '뻥이요!' 카드를 출력해 자른 후, 종이봉투에 넣어 둔다.

② 아이들을 2팀으로 나누고, 각 팀이 번갈아 가며 봉투에서 카드를 한 장씩 뽑게 한다.

③ 카드에 적힌 질문을 읽고 정답을 말하게 한다. 질문의 답은 110쪽에 있다.

④ 정답을 말할 때마다 10점을 얻는다고 말해 준다. 인도자는 화이트보드에 각 팀의 점수를 기록한다.

⑤ 오답을 말하면 상대 팀에게 답을 맞힐 기회가 넘어가며, '뻥이요!' 카드를 뽑으면 그 팀이 획득한 점수를 모두 잃는다고 일러 준다.

— 오늘의 성경 이야기는 신약성경의 4번째 책인 요한복음에 나와요. 이 책을 쓴 요한은 예수님이 제자로 부르신 12명 중 한 명이었어요. 그는 예수님의 생애와 말씀을 기록했지요.

탐험하기

복음을 향하여!

준비물 **학생용 교재 32쪽, 연필**

연대표의 빈칸을 채우고, 친구와 동전 던지기 게임을 하며 하나님의 구원 계획을 따라가 보게 한다.

— 성경은 하나님이 사람을 동물보다 더 귀한 존재로 만드셨다고 말해요(창 1:26 참조). 오늘 성경 이야기에서 세례 요한은 예수님이 자신보다 더 중요한 존재라고 말했어요(요 3:30 참조). **예수님은 하늘에서 이 땅으로 오셨어요.** 세례 요한은 자신보다 더 중요한 예수님이 오실 길을 열심히 준비했어요.

불을 켜요!

준비물 **학생용 교재 33쪽, 연필**

① 아이들에게 왼쪽에 있는 전구와 오른쪽에 있는 소켓을 알맞게 연결해 문장을 완성하라고 한다.

② 정답을 확인하고, 완성된 문장을 함께 큰 소리로 읽는다.

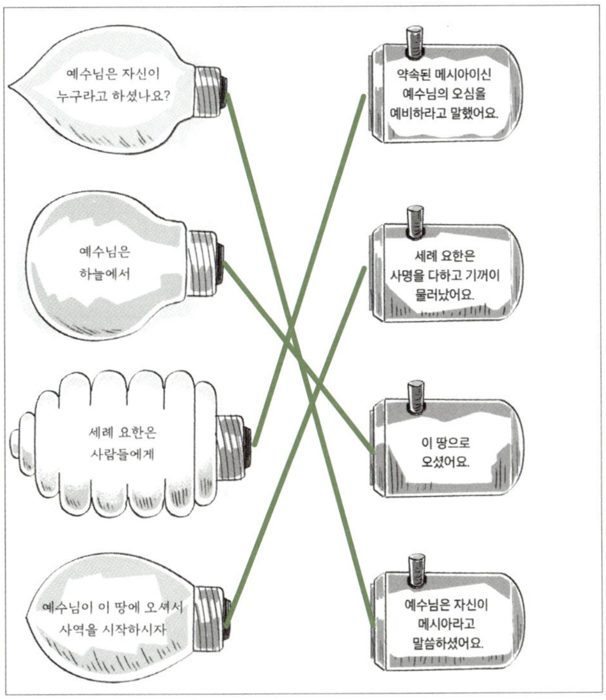

— 사람들은 그들을 구해 줄 메시아를 기다렸어요. 세례 요한은 예수님이 자신보다 훨씬 더 중요한 분이라고 말했어요. 예수님은 바로 사람들이 기다리던 메시아셨어요.
세례 요한은 예수님이 하나님의 말씀을 전하러 이 땅에 오셨다고 말했어요. 그는 예수님을 믿는 사람은 누구든지 영원한 생명을 얻을 것이라고 말했어요.

임무 완료! *

준비물 **성경, A4용지, 사인펜**

① 아이들이 예배실 안에서 할 수 있는 활동 5~10가지를 종이에 적어 둔다.

예) 1. 팀원 중 한 명 키 재기

2. 팔굽혀펴기 10번 하기

3. 요한복음 14장 6절을 찾아 큰 소리로 읽기

4. 알파벳을 거꾸로 말하기

5. 한글 자음을 거꾸로 말하기

② 아이들을 2팀으로 나누고 각 팀에 임무 리스트를 준다.

③ 인도자가 "시작!"이라고 외치면, 팀별로 종이에 적힌 임무를 완료하게 한다.

④ 임무를 끝낸 팀은 자리에 앉으며 "임무 완료!"라고 소리치라고 한다.

— 임무를 다 마치고 나니 기분이 어땠나요? 어떤 일을 열심히 해서 끝내면 정말 뿌듯한 기분이 들어요. 세례 요한의 역할은 오실 예수님을 위해 사람들을 준비시키는 것이었어요. 예수님이 오셨을 때 그의 기분이 어땠을지 상상해 보세요. 예수님이 이 땅에 오심으로 세례 요한의 임무는 끝이 났어요. 예수님이 이 땅에 오셔서 사역을 시작하시자 세례 요한은 사명을 다하고 기꺼이 물러났어요.

보물 상자

나만의 기록장

준비물 **학생용 교재 34쪽, 연필**

① 예수님이 누구신지 궁금해하는 사람들에게 어떻게 말할 수 있을지 물어본다.

② 예수님의 어떤 점을 설명하면 좋을지 글로 써 보라고 한다.

③ 예수님이 왜 특별하신지 설명하도록 격려한다.

— 예수님은 자신이 누구인지 말씀하셨어요. **예수님은 자신이 누구라고 하셨나요? 예수님은 자신이 메시아라고 말씀하셨어요.** 세례 요한의 역할은 사람들의 마음이 예수님에게 향하도록 돕는 것이었어요. 하나님은 우리가 다른 사람들에게 예수님을 전하기를 원하세요.

메시지 카드

이번 주 메시지 카드로 부모님과 함께 오늘 배운 성경 이야기를 나누어 보라고 한다.

기도

하나님, 아들이신 예수님을 우리에게 보내 주셔서 감사합니다. 우리가 예수님을 그 무엇보다 가장 소중한 보물로 여기도록 도와주세요. 그리고 하나님이 주신 이 소중한 보물을 다른 사람에게 소개하고 함께 기뻐하게 해 주세요. 예수님의 이름으로 기도합니다. 아멘.

9

예수님이 사마리아 여인을 만나셨어요

요 4:1~42

단원 암송

예수께서 이르시되
내가 곧 길이요 진리요 생명이니
나로 말미암지 않고는 아버지께로 올 자가
없느니라(요 14:6).

성경의 초점

예수님은 자신이 누구라고 하셨나요?
예수님은 자신이 메시아라고 말씀하셨어요.

본문 속으로

예수님이 이 땅에 계셨을 당시 유대인은 사마리아인과 상종하지 않았습니다. 이들 사이의 갈등은 수백 년 전 바벨론 포로기까지 거슬러 올라갑니다.

북 이스라엘을 공격한 아시리아 왕은 이스라엘 백성을 포로로 잡아가 아시리아 여러 지역에 이주시켰습니다. 그리고 바벨론과 구다와 아와와 하맛과 스발와임을 정복하고, 이들을 이스라엘 자손들을 대신해서 사마리아의 여러 성읍에 거주하게 했습니다(왕하 17:24 참조). 사마리아에 이주해 온 다른 종족의 사람들은 그 지역에 살면서 자연스럽게 이스라엘 백성과 섞이게 되었습니다. 이들 중에는 하나님을 믿는 사람도 있었지만 대다수는 예전에 자신이 섬기던 신들을 섬겼고, 자신의 생활 풍습을 유지했습니다.

예루살렘에 하나님의 성전을 재건하기 위해 바벨론에서 귀환한 유대인들은 이와 같은 새로운 삶의 방식을 거부했습니다. 그들은 하나님께 순종하고 경배하는 일에 헌신했기 때문에 사마리아인의 관행에 동의할 수 없었습니다. 사마리아인들은 유대인들이 국가를 재건하는 일에 반대했습니다. 시간이 흐르면서 유대인들은 사마리아인들을 극도로 증오하게 되었습니다. 심지어 유대에서 갈릴리로 여행하는 유대인들은 사마리아를 통과하지 않고 멀리 돌아가는 길을 택할 정도였습니다.

그러나 예수님은 사마리아를 거쳐 갈릴리로 여행하심으로 그 장벽을 무너뜨리셨습니다. 더 놀라운 것은 예수님이 정오 무렵 우물가에 머물며 사마리아 여인에게 물을 달라고 부탁하신 것입니다. 당시 유대인 남성은 공공장소에서 여성에게 말을 걸지 않았기 때문입니다.

예수님은 사마리아 여인을 친절하게 대하셨고, 그녀에게 영원히 목마르지 않을 생명의 물을 선물하셨습니다. 사마리아 여인은 다 이해하지 못했지만, 예수님은 그녀의 과거를 드러내 보이셨을 뿐 아니라 심지어 장래의 모습도 엿보게 하셨습니다. 사마리아 여인은 메시아가 오셔서 모든 것을 고쳐 주실 것이라 기대하고 있었습니다. 그리고 예수님은 "내가 그라"(요 4:26)라고 말씀하셨습니다.

●● 티칭 포인트

예수님이 주시는 생명의 물은 바로 성령님이시라는 것을 아이들에게 설명해 주십시오(요 7:37~39 참조). 이는 우리가 하나님께 구할 때 기꺼이 주시는 선물입니다. 하나님의 은혜를 받는 사람들은 다시는 목마르지 않을 것입니다.

주 제

예수님은 사마리아 여인에게 자신이 메시아라고 말씀하셨어요.

가스펠 링크

예수님은 사마리아 여인에게 영적인 목마름을 채워 줄 성령님에 관해 말씀하셨어요. 성령님은 믿음으로 예수님께 나아오는 모든 사람에게 임하세요.

예수님이 사마리아 여인을 만나셨어요 요 4:1~42

예수님은 갈릴리로 돌아가기 위해 길을 떠나셨어요. 제자들과 함께 사마리아 지역을 지나시던 예수님은 '수가'라는 마을의 우물가에서 잠시 쉬셨어요. 제자들은 음식을 구하러 마을에 들어갔어요.

그때 한 사마리아 여인이 물을 길으러 왔어요. 예수님이 여인에게 "내게 물 좀 떠 주겠느냐?" 하고 물으셨어요. 여인은 깜짝 놀랐어요. "선생님은 유대 사람인데, 어떻게 사마리아 여자인 나에게 물을 달라고 하십니까?"

예수님은 "네가 너에게 물을 달라는 사람이 누구인지를 알았더라면, 도리어 네가 그에게 부탁했을 것이고, 그는 너에게 생수를 주었을 것이다"라고 말씀하셨어요.

사마리아 여인은 어리둥절했어요. "선생님, 선생님에게는 물을 길을 그릇도 없고 이 우물은 깊은데 어디에서 생수를 구하신다는 말입니까?"

예수님이 말씀하셨어요. "이 물을 마시는 사람마다 다시 목마를 것이다. 그러나 내가 주는 물을 마시는 사람은 영원히 목마르지 않을 것이다. 내가 주는 물은 그 사람 안에서 계속 솟아올라 영생에 이르게 하는 샘물이 될 것이다."

여인은 "선생님, 제게 그 물을 주십시오. 제가 목 마르지도 않고 다시는 물을 길으러 여기까지 나오지 않게 해 주십시오"라고 말했어요.

여인은 어쩌면 이분이라면 무언가를 설명해 줄 수 있을지도 모른다고 생각했어요. "우리 조상 사마리아인들은 이 산에서 예배를 드렸는데 당신네 유대 사람들은 '예배는 예루살렘에서만 드려야 한다'라고 말합니다."

그러자 예수님은 "이제 이 산도 아니고 예루살렘도 아닌 곳에서 참되게 예배하는 사람들이 영과 진리로 아버지께 예배드릴 때가 오는데 지금이 바로 그때다"라고 말씀하셨어요.

사마리아 여인이 말했어요. "저는 그리스도라고 하는 메시아가 오실 것을 압니다. 그가 오시면 우리에게 모든 것을 알려 주실 것입니다."

그때 예수님이 말씀하셨어요. "너에게 말하고 있는 내가 바로 그 메시아다."

사마리아 여인은 마을로 돌아가 사람들에게 말했어요. "내가 과거에 한 일을 모두 말해 준 분이 계십니다. 와서 보십시오. 이분이 그리스도가 아니겠습니까?"

많은 사마리아인이 예수님께 그들과 함께 머물러 달라고 부탁했어요. 예수님은 이틀 동안 그곳에 머무르셨어요. 더 많은 사람이 예수님의 말씀을 듣고 믿게 되었어요. 사람들이 사마리아 여인에게 말했어요. "이제 우리가 믿는 것은 당신의 말 때문이 아니오. 우리가 그 말씀을 직접 듣고 보니 이분이 참으로 세상의 구주이심을 알게 되었소."

●● 가스펠 링크

예수님은 사마리아 여인에게 누구도 줄 수 없는 생명의 물을 주셨어요. 예수님은 육체적으로 마실 수 있는 물이 아니라, 영적인 목마름을 채워 줄 성령님에 관해 말씀하셨어요. 성령님은 믿음으로 예수님께 나아오는 모든 사람에게 임하세요.

가스펠 준비
(10~20분)

*는 선택 활동입니다.

환영

도착하는 아이들을 반갑게 맞이하고 헌금, 출석, QT 등을 확인하며 격려한다. 새 친구가 있다면 소개한다. 편안한 분위기에서 안부를 물으며 오늘의 말씀과 관련된 화제로 이야기를 나눈다. 좋아하는 음료가 무엇인지 물어본다. 자발적으로 대화에 참여하도록 이끈다. 아이들에게 물 한 잔씩 나누어 줄 수도 있다.

예) "좋아하는 음료가 있나요?", "목이 마를 때 무엇을 마시나요?", "어떤 음료를 마실 때 특별한 능력이 생긴다면, 어떤 능력을 갖고 싶나요?" 등.

— 목이 마를 때 우리는 음료를 마셔요. 하지만 그 음료가 무엇이든 목마름을 해결하는 것밖에 하지 못해요. 오늘 성경 이야기에는 아주 특별한 음료가 나와요. 어떤 것인지 함께 알아보아요.

마음 열기

남자 vs 여자 *

준비물 **의자 2개**

① 아이들을 남자팀과 여자팀으로 나누고, 예배실 바닥에 팀별로 앉힌다.

② 의자 2개를 앞에 두고, 각 팀의 맨 앞에 있는 아이들을 나오게 해 의자에 앉힌다.

③ 인도자가 한글 자음을 하나 말하면, 해당 자음으로 시작하는 성경 이름을 먼저 말하는 아이가 점수를 얻는다고 말해 준다.

④ 각 팀의 모든 아이가 순서대로 나와 질문에 답할 때까지 놀이를 계속한다.

— 오늘의 성경 이야기에서 예수님은 우물가에서 한 사마리아 여인과 이야기를 나누셨어요. 그 당시 유대인들은 공공장소에서 여인과 대화를 나누지 않았어요. 그러나 예수님은 다른 유대인들과 다르셨어요. 예수님은 모든 사람을 사랑하세요. 예수님은 사마리아 여인과 어떤 이야기를 나누셨을까요? 함께 알아보기로 해요.

물 릴레이 *

준비물 **플라스틱 컵**(인원수대로), **물통 4개, 물, 수건**

① 아이들을 2팀으로 나누고, 팀별로 줄을 세운다.

② 각 팀의 앞에 물을 담은 통을 두고, 뒤에는 빈 통을 둔다.

③ 아이들에게 플라스틱 컵을 하나씩 나누어 준다.

④ 각 팀의 첫 번째 아이부터 통에 있는 물을 컵에 담아, 뒷사람의 컵에 전달하라고 한다. 맨 뒤에 있는 아이는 전달받은 물을 빈 통에 담게 한다.

⑤ 앞에 있는 물통의 물을 뒤에 있는 물통으로 먼저 옮기는 팀이 이긴다.

— 오늘의 성경 이야기에서 예수님은 우물가에서 한 여인을 만나셨어요. 그 여인은 물을 얻기 위해 매일 우물에 가야 했어요. 예수님은 여인에게 생명의 물을 주셔서 다시는 목마르지 않게 하셨어요. 예수님이 하신 말씀은 어떤 뜻인지 함께 알아보아요.

교사를 위한 기록장 이 과를 준비하면서 깨닫게 된 묵상을 정리해 보세요.

· 하나님이나 나에 대해 새롭게 알게 된 것은?

· 기억하고 싶은 하나님의 약속은?

· 아이들에게 전하고 싶은 메시지는?

가스펠 설교
(15~30분)

들어가기

DVD **준비물** **탁자, '무엇이든 물어보세요!' 포스터**(지도자용 팩), **성경, 물통**

탁자에 '무엇이든 물어보세요!'라고 쓰인 포스터가 붙어 있다. 인도자는 성경과 물통을 들고 들어와 탁자 옆에 선다.

안녕하세요, 여러분! 다시 만나서 반가워요. 축제를 위해 이 부스를 만든 지도 벌써 3일째가 되어 가요. 저는 이곳에서 정말 흥미로운 사람들을 많이 만났답니다! 다양한 사람들이 축제에 찾아와요. 이곳에서 사람들의 질문에 답하며 이야기를 나누다 보면 예수님이 정말 모든 사람을 사랑하신다는 사실을 다시 한번 깨닫게 되어요! 예수님은 특정한 사람들만을 구원하기 위해 이 땅에 오신 것이 아니에요. 예수님은 모든 사람을 구원하기 위해 오셨지요. 여러분이 어떤 삶을 살고 있든지, 어떤 일을 하든지, 어떻게 생겼든지 간에 말이에요.

연대표

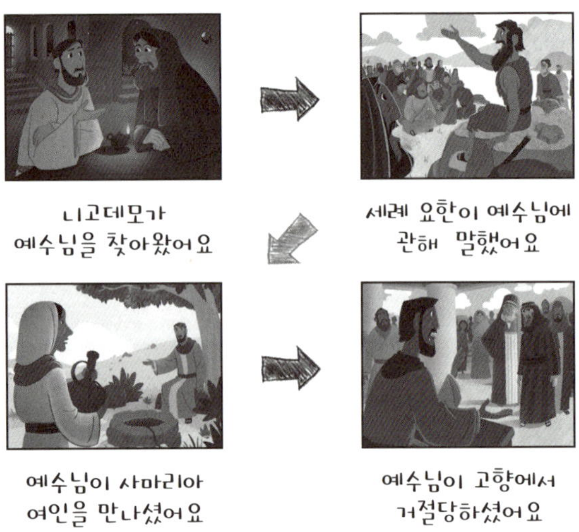

예수님은 사역을 시작하신 후, 다양한 사람들을 만나셨어요. 먼저, 우리는 예수님이 니고데모를 만나신 일에 관해 배웠어요. 니고데모는 밤중에 예수님을 찾아왔어요. 예수님은 니고데모에게 그가 거듭나야 한다고 말씀하셨어요. 세례 요한도 예수님을 만난 사람 중 한 명이에요. 세례 요한은 그를 따르는 사람들에게 예수님에 관해 이야기했어요. 그는 사람들에게 하늘에서 이 땅으로 오신 예수님을 따라야 한다고 말했어요. 연대표에서 오늘의 성경 이야기를 가리킨다. 오늘은 예수님이 사마리아 여인을 만나신 이야기를 들을 거예요. 당시 사마리아인은 유대인과 사이가 좋지 않았어요. 모두 오늘의 성경 이야기를 들을 준비가 되었나요?

성경의 초점

지난 몇 주 동안 배운 '성경의 초점' 질문을 기억하나요? 아이들의 대답을 기다린다. 2단원 '성경의 초점' 질문은 **"예수님은 자신이 누구라고 하셨나요?"**예요. 제가 먼저 답을 말하면, 따라서 함께 큰 소리로 말해 보아요. **"예수님은 자신이 메시아라고 말씀하셨어요."** 아이들과 함께 '성경의 초점'의 답을 반복해서 말한다.

성경 이야기

DVD 요한복음 4장을 펴고, 설교 영상(지도자용 팩)을 보여 주거나 이야기 성경을 들려준다. 이야기를 들려줄 때, 의자나 벤치, 양동이, 큰 대야 등을 사용해 우물가를 표현해도 좋다. 또는 예수님이 말씀하시는 부분에서 한쪽으로 몸을 돌려 이야기하고, 여인이 말하는 부분에서는 반대로 몸을 돌려 마치 서로 대화하듯이 연출해도 좋다.

유대 지방에 머문 예수님은 제자들과 함께 북쪽 갈릴리로 길을 떠나셨어요.

유대와 갈릴리 사이에는 사마리아라는 지역이 있었어요. 대부분의 유대인은 사마리아 지역을 거쳐가지 않았어요. 대신 먼 길을 돌아갔지요. 유대인들이 왜 그랬는지 혹시 짐작하는 사람이 있나요? (유대인과 사마리아인은 사이가 좋지 않았다) 그러나 예수님은 다른 유대인처럼 하지 않으셨어요. 모든 사람을 사랑하는 예수님은 사마리아 땅을 가로질러 여행하셨어요. 예수님과 제자들은 한 마을에 도착했어요. 제자들은 먹을 것을 구하러 갔고, 예수님은 우물가에 앉으셨어요. 예수님은 피곤하고 지치셨어요. 그때 한 사마리아 여인이 물을 길으러 왔어요. 예수님은 그 여인에게 무엇이라고 말씀하셨나요? ("물을 좀 달라") 사마리아 여인은 유대인인 예수님이 사마리아인인 자신에게 말을 걸었다는 사실에 놀랐어요. 예수님은 사마리아 여인에게 생수를 주시며 이 물은 하나님의 선물이라고 말씀하셨어요. 예수님은 마시는 물에 관해 이야기하신 것이 아니었어요. 성령님에 관해 말씀하신 것이었지요(요 7:37~39 참조). 사마리아 여인이 메시아가 오시기를 기다리고 있다고 말했을 때, **예수님은 자신이 누구라고 하셨나요? 예수님은 자신이 메시아라고 말씀하셨어요.** 여인은 마을로 돌아가 예수님이 하신 말씀을 사람들에게 전했어요. 그 말을 듣고 사마리아에 사는 많은 사람이 예수님을 믿었어요. 그들은 예수님과 시간을 보내면서 예수님이 세상의 구세주이심을 확실히 알게 되었어요.

가스펠 링크

예수님은 사마리아 여인에게 자신이 메시아라고 말씀하셨어요. 예수님은 사마리아 여인에게 누구도 줄 수 없는 생명의 물을 주셨어요. 예수님은 육체적으로 마실 수 있는 물이 아니라, 영적인 목마름을 채워 줄 성령님에 관해 말씀하셨어요. 성령님은 믿음으로 예수님께 나아오는 모든 사람에게 임하세요.

DVD

복음 초청

성경과 103쪽 복음 초청 가이드를 이용해서 아이들에게 그리스도인이 되는 법을 설명해 준다. 따로 상담해 줄 사람을 정해 주고 궁금한 점이 있으면 물어보도록 격려한다.

이 시간 예수님을 마음에 모시고 싶은 친구는 함께 기도해요.

기도

하나님, 예수님을 보내 주셔서 감사합니다. 예수님은 십자가에서 죽으시고 다시 살아나심으로 우리에게 가장 필요한 것을 주셨습니다. 바로 죄에서 구원받는 것과 하나님과의 관계를 회복하는 것이에요. 때때로 우리는 우리 자신이 사랑받고 중요하게 여겨지도록 만드는 다른 것들이나 사람들을 찾고 의지합니다. 우리를 용서해 주시고, 하나님께 더 가까이 이끌어 주세요. 날마다 하나님을 더 알도록 인도해 주세요. 예수님의 이름으로 기도합니다. 아멘.

적용

TIP 설교 도입이나 적용으로 활용하거나 영상을 본 뒤 소그룹으로 나누어 풍성한 대화를 이어 갈 수 있습니다.

예수님은 사마리아 여인에게 생명의 물을 주셨어요. 예수님은 여인에게 다시는 목마르지 않을 것이라고 약속하셨어요. 멋지지 않나요? 만일 여러분이 사람들에게 줄 수 있는 멋진 것을 가지고 있다면, 그것을 나눠 주겠어요? 아니면 혼자 가지겠어요? 오늘의 영상을 보면서 한번 생각해 보세요.

DVD 적용 예화 영상(지도자용 팩)을 보여 준다.

친구들이 목이 말라 레모네이드를 달라고 부탁한 것을 거절당했을 때 어떻게 느꼈을까요? 목이 마른 사람을 보았을 때, 여러분은 마실 것을 나눠 줄 건가요? 그 이유는 무엇인가요? 여러분은 다른 사람들이 필요로 하는 것이 무엇인지 생각할 수 있나요? 그것들을 함께 나누고 싶은가요?

예수님을 모르는 사람들은 목마른 사람들이에요. 물이나 음료가 필요하다는 것이 아니라, 진정한 생명에 목마르다는 뜻이에요. 죄인들에게는 예수님이 필요해요. 어떤 사람들은 예수님이 필요하다는 사실을 모르기도 해요. 그러나 우리는 기쁜 소식을 알고 있어요. 하나님은 예수님을 통해 생명의 물, 즉 성령님을 주세요.

하나님은 다른 사람들에게 복음을 전하라고 우리에게 말씀하세요. 예수님은 우리의 가장 큰 필요를 채우셨어요. 바로 죄에서 구원하신 것이지요. 여러분은 누구에게 예수님을 전하겠어요?

가스펠 **소그룹**
(10~20분)

나침반

말씀을 기억해 보아요

DVD **준비물** **2단원 암송**(109쪽), **2단원 찬양 '완전한 계획'**(지도자용 팩 또는 홈페이지), **동전**

① 아이들을 둥글게 세운다.

② 왼쪽 손바닥을 위로 펴고, 오른쪽 손바닥은 옆 사람의 손바닥 위에 올려놓으라고 한다.

③ 한 명에게 동전을 주고, 2단원 찬양이 흐르는 동안 동전을 옆 사람에게 전달하라고 한다.

④ 인도자가 무작위로 음악을 멈추고, 음악이 멈추었을 때 동전을 가지고 있는 아이에게 요한복음 14장 6절을 암송하게 한다.

— 오늘의 성경 이야기에서 **예수님은 자신이 누구라고 하셨나요? 예수님은 자신이 메시아라고 말씀하셨어요.** 2단원 암송은 예수님에 관해 무엇을 말해 주나요? (예수님은 길과 진리와 생명이며 아버지께 갈 수 있는 유일한 길이다) 예수님은 누구도 줄 수 없는 것을 우리에게 주세요. 바로 죄에서 구원받는 것과 하나님과의 관계를 회복하는 것이에요. 이 세상에 예수님 같은 분은 아무도 없어요.

보물 지도

핑퐁 퀴즈

준비물 **성경, 일회용 컵 9개, 양면테이프, 탁구공 20개, 사인펜**

① 예배실 바닥에 컵 9개를 3x3 배열로 두고, 테이프로 바닥에 잘 고정시킨다.

② 각 컵에 100점에서 900점까지 임의로 점수를 적어 둔다.

③ 아이들을 2팀으로 나누고, 컵에서 2m 정도 떨어진 위치에 팀별로 줄을 서게 한다.

④ 아이들에게 차례로 아래의 질문을 한다.

⑤ 정답을 말하면, 탁구공을 바닥에 한 번 튕겨 컵 안에 넣으라고 한다. 공이 들어간 컵에 적힌 점수를 얻는다고 말해 준다.

⑥ 가장 많은 점수를 얻은 팀이 이긴다.

1 예수님이 이 땅에서 사역하신 내용은 성경의 어디에 나오나요?
사복음서 (마태, 마가, 누가, 요한)

2 예수님은 유다에서 갈릴리로 가는 중에 어디에서 쉬셨나요?
사마리아의 우물가에서 (요 4:3~6)

3 예수님이 우물가에서 만난 사람은 누구였나요?
사마리아 여인 (요 4:7)

4 예수님이 사마리아 여인을 만나자 하신 말씀은 무엇이었나요?
"물을 좀 달라" (요 4:7)

5 예수님이 말을 걸었을 때 사마리아 여인은 왜 놀랐나요?
예수님은 유대인이고, 자신은 사마리아인이었기 때문이다 (요 4:9)

6 예수님은 어떤 종류의 물을 사마리아 여인에게 주셨나요?
생수 또는 생명의 물 (요 4:10)

7 예수님은 사마리아 여인에게 누구를 불러오라고 하셨나요?
남편 (요 4:16)

8 사마리아 여인은 누가 오실 것을 알고 있었나요? 메시아 (요 4:25)

9 **예수님은 자신이 누구라고 하셨나요?**
예수님은 자신이 메시아라고 말씀하셨어요.

10 사마리아 사람들은 예수님에 관해 무엇을 알게 되었나요?
예수님이 세상의 구주이신 것을 알게 되었다 (요 4:42)

— **예수님은 사마리아 여인에게 자신이 메시아라고 말씀하셨어요.** 사람들은 오랫동안 하나님이 보내실 메시아를 기다렸어요! 사마리아 여인은 마을로 돌아가 자신에게 일어난 일을 사람들에게 이야기했어요. 마을 사람들은 예수님과 시간을 보내고 예수님이 세상의 구주이신 것을 믿게 되었어요.

탐험하기

성경 단어마다 점수가!

준비물 **학생용 교재 36쪽, 연필**

예시

x3			ㅈ	ㅣ	ㅇ	ㅕ	ㄱ	3				x3
	2				2		과				2	
		ㅇ	ㅡ	ㅁ	ㅅ	ㅣ	ㄱ		ㄷ	ㅏ	ㅅ	ㅣ
	ㅇ	ㅠ	ㄷ	ㅐ	ㅏ		ㅓ		3		ㅓ	
ㅁ	ㅗ	ㄱ	ㅁ	ㅣ	ㄹ	ㅡ	ㅁ	3			ㄴ	ㅂ
ㅏ	2	ㅊ			ㅏ		2	ㅅ	ㅐ	ㅇ	ㅅ	ㅜ
ㄹ	ㅈ	ㅔ	ㅈ	ㅏ	ㅁ	ㅁ		ㅏ		ㅕ	ㅐ	ㅌ
ㅆ	2	ㅈ			2	ㅔ	2	ㅁ		ㅇ	ㅇ	ㅏ
ㅡ		ㅓ		3		ㅅ		ㅏ		ㅇ	ㄴ	ㄱ
ㅁ		ㄱ	ㅏ	ㄹ	ㄹ	ㅣ	ㄹ	ㄹ	ㅣ	ㅝ	ㅣ	
		2				ㅇ		ㅣ		ㄴ	ㅁ	
	2		ㅅ	ㅜ	ㄱ	ㅏ	2	ㅇ	ㅜ	ㄹ	ㅣ	
x3				3		x3	ㄲ	ㅏ	ㅁ	ㅉ	ㅏ	ㄱ

① 아이들이 둘씩 짝을 지어 게임 설명에 따라 오늘 성경 이야기에 나오는 단어들로 자모음 퍼즐을 하게 한다.

② 49쪽의 점수 기록장을 활용해 점수를 계산, 기록하게 한다.

③ 필요에 따라 홈페이지 자료실의 게임 예시 영상을 참고한다.

—— **예수님은 사마리아 여인에게 자신이 메시아라고 말씀하셨어요.** 예수님은 우리를 영원히 목마르지 않게 하실 우리의 구원자세요.

생수가 되신 예수님

준비물 **학생용 교재 37쪽, 연필**

우물 인 자모음을 글자 안에 적힌 숫자대로 모아 빈칸의 답을 완성하게 한다.

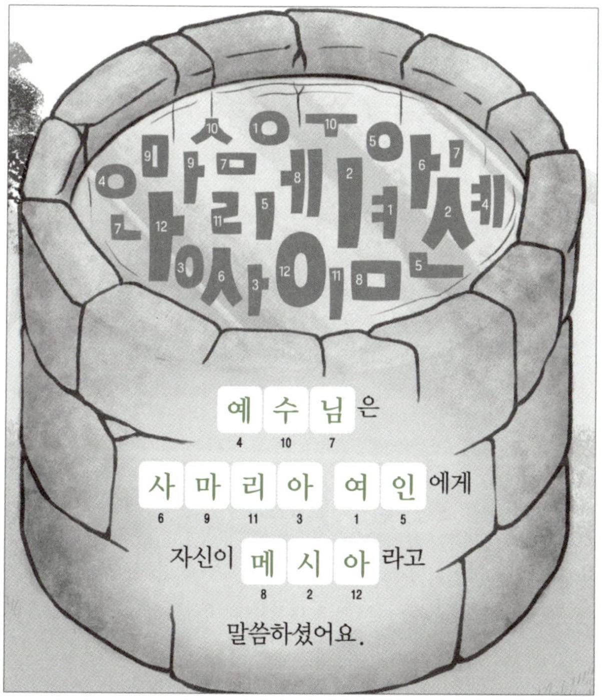

—— 예수님은 "내가 주는 물을 마시는 자는 영원히 목마르지 아니하리니"라고 말씀하셨어요. 예수님만이 우리에게 영원한 만족을 주실 수 있어요. 예수님은 우리의 구원자세요.

사람들을 위한 기도 *

준비물 **선교사 또는 선교지 정보, 메모지, 사인펜**

① 교회가 후원하는 선교사나 선교지에 관한 정보를 미리 조사해 둔다.

② 아이들에게 조사한 내용을 알려 준다.

예) 서부 아프리카의 송가이족을 소개한다.

- 송가이족은 서아프리카의 사하라 사막 가장자리에 있는 니제르강 근처에 산다.
- 350만 명의 송가이족 중 기독교인은 200명 미만이다.

③ 아이들에게 메모지를 나누어 주고, 함께 나눈 선교사나 선교지 이름을 적으라고 한다.

④ 메모지를 성경에 넣어 두고, 기억하며 기도하게 한다.

—— **예수님은 사마리아 여인에게 자신이 메시아라고 말씀하셨어요.** 예수님은 사마리아 여인에게 육체적으로 마실 수 있는 물이 아니라, 영적인 목마름을 채워 줄 성령님에 관해 말씀하셨어요. 예수님은 믿음으로 그분께 나아오는 모든 사람에게 성령을 주세요. 예수님을 알지 못하는 세상의 모든 사람이 예수님에 대한 기쁜 소식을 듣고, 예수님을 믿을 수 있기를 함께 기도해요. 그리고 선교지에 계신 선교사님과 기독교인들의 안전을 위해 함께 기도해요.

보물 상자

나만의 기록장

준비물 **학생용 교재 38쪽, 연필**

① 아이들에게 내가 믿는 예수님은 어떤 분인지 글로 쓰게 한다.

② 사마리아 여인이 마을 사람들에게 예수님을 전했다는 것을 상기시킨다.

③ 아이들에게 왜 예수님을 믿는지 그 이유를 적게 한 후, 마을 사람들에게 예수님을 전했던 사마리아 여인처럼 주변에 예수님을 모르는 사람에게 예수님에 관한 기쁜 소식을 전해 보라고 한다.

메시지 카드

이번 주 메시지 카드로 부모님과 함께 오늘 배운 성경 이야기를 나누어 보라고 한다.

기도

하나님, 우리에게 생명의 물을 주셔서 영원히 목마르지 않게 해 주셔서 감사합니다. 우리도 사마리아 여인처럼 참된 구원자이신 예수님의 이름을 이웃에게 전하기를 소망합니다. 만나는 사람들에게 구원자 예수님을 전하게 해 주세요. 예수님의 이름으로 기도합니다. 아멘.

10

예수님이 고향에서 거절당하셨어요

눅 4:14~30

단원 암송

예수께서 이르시되
내가 곧 길이요 진리요 생명이니
나로 말미암지 않고는 아버지께로 올 자가
없느니라(요 14:6).

성경의 초점

예수님은 자신이 누구라고 하셨나요?
예수님은 자신이 메시아라고 말씀하셨어요.

본문 속으로

예수님은 서른 살 즈음에 사역을 시작하셨습니다. 예수님은 요단강에서 세례 요한에게 세례를 받으신 후 광야에서 시험을 받으셨습니다. 그리고 유월절을 지키기 위해 예루살렘으로 가셨다가 북쪽 갈릴리로 향하셨습니다. 이때 예수님은 사마리아 지역을 지나가셨는데, 도중에 야곱의 우물에 멈추어 사마리아 여인과 대화를 나누셨습니다.

갈릴리로 돌아가신 예수님은 여러 회당에서 가르치기 시작하셨습니다. 그 후 나사렛으로 가셨는데, 나사렛은 갈릴리 호수와 지중해 사이의 언덕에 있는 작은 마을로 예수님이 자라나신 곳입니다.

예수님은 안식일에 회당에 들어가 이사야 선지자의 글을 읽으시고 자리에 앉으셨습니다(사 61:1~2 참조). 예수님이 말씀을 읽으시니 사람들의 눈이 그분께 향했습니다. 예수님이 말씀하셨습니다. "이 글이 오늘 너희 귀에 응하였느니라"(눅 4:21). 예수님의 말씀은 무슨 뜻인가요? 방금 읽은 이사야의 글이 바로 자신에 관한 이야기라고 말씀하신 것입니다. 어떤 사람들은 예수님을 어린 시절부터 알았고 그 모습을 기억하고 있었을 것입니다. 그들은 "이 사람이 요셉의 아들이 아니냐"라고 서로 말했습니다.

예수님은 사람들의 생각을 알고 계셨습니다. 예수님이 가버나움에서 행하신 기적을 예수님의 고향인 갈릴리에서도 행하라고 말할 것을 아셨습니다. 예수님은 사람들에게 구약성경에 나오는 두 가지 이야기를 상기시키셨습니다. 엘리야 선지자 당시 이스라엘에 많은 과부가 있었음에도 하나님이 엘리야를 다른 나라에 보내 한 과부를 돕게 하셨던 일과 엘리사 선지자가 한센병을 앓는 많은 이스라엘 사람을 두고 시리아 사람 나아만의 한센병을 고친 일이었습니다.

예수님은 그분의 기적이 은혜로 주신 것, 즉 선물이라는 사실을 사람들이 이해하기 원하셨습니다. 누구도 하나님의 은혜를 받을 자격이 없기 때문에, 하나님의 은혜는 하나님이 기뻐하시는 사람이라면 심지어 이방인에게도 베풀어질 수 있었던 것입니다. 예수님의 말씀을 들은 사람들은 화가 나서 예수님을 동네 밖으로 쫓아내 죽이려 했지만, 예수님은 군중 가운데를 지나 떠나셨습니다.

티칭 포인트

이 성경 이야기를 가르칠 때 예수님이 눈먼 자들을 보게 하고 포로 된 자들을 풀어 주기 위해 오셨다는 것을 설명해 주십시오. 예수님은 모든 민족에게 복음을 전파하기 위해 오셨습니다. 마침내 메시아가 온 것입니다! 예수님은 죄인을 구원하시려는 하나님의 계획이셨습니다.

주 제

예수님은 성경이 자신에 대해 기록하고 있다고 말씀하셨어요.

가스펠 링크

예수님은 이사야의 글을 읽으시고, 듣고 있던 모든 사람에게 자신이 바로 그 메시아라고 말씀하셨어요.

예수님이 고향에서 거절당하셨어요 눅 4:14~30

예수님이 고향인 나사렛으로 가셨어요. 안식일이 되자 늘 하시던 대로 회당에 들어가셨지요.

안식일은 거룩한 날이었어요. 유대인들은 안식일에 회당에 모여 하나님을 예배했어요. 회당은 유대인들이 모여 기도하고, 예배하고, 성경을 배우는 특별한 곳이었어요.

예수님은 성경을 읽기 위해 일어나셨어요. 그리고 이사야 선지자의 글을 읽으셨어요. "주의 성령이 내게 임하셨으니 이는 가난한 자에게 복음을 전하게 하시려고 내게 기름을 부으시고 나를 보내사 포로된 자에게 자유를, 눈먼 자에게 다시 보게 함을 전파하며 눌린 자를 자유롭게 하고 주의 은혜의 해를 전파하게 하려 하심이라." 예수님은 글을 읽으신 후 자리에 앉으셨어요.

회당에 있던 모든 사람이 예수님을 주목했어요. 예수님이 말씀하셨어요. "오늘 이 말씀이 너희가 듣는 이 자리에서 이루어졌다."

사람들은 예수님이 하시는 은혜로운 말씀에 놀랐어요. 그러나 나사렛에 사는 어떤 사람들은 예수님을 어렸을 때부터 알고 있었어요. 그들은 "이 사람이 요셉의 아들이 아닌가?"라고 말했어요.

예수님은 평범한 사람이 아니셨어요. 요셉은 예수님을 자기 아들로 키웠지만, 예수님의 진정한 아버지는 하나님이세요.

예수님이 그들에게 말씀하셨어요. "너희는 틀림없이 '의사야, 네 병이나 고쳐라'라는 속담을 말하며 '우리가 들은 소문대로 당신이 가버나움에서 했다는 모든 일을 여기 당신의 고향에서도 해 보시오'라고 할 것이다."

또 예수님은 이렇게 말씀하셨어요. "어떤 예언자도 자기 고향에서는 인정받지 못한다." 예수님은 사람들에게 선지자 엘리야와 엘리사를 떠올리게 하셨어요. 이스라엘에 엄청난 가뭄이 들어 3년 반 동안 비가 내리지 않았을 때, 이스라엘에는 도움이 필요한 과부들이 많았어요. 그러나 하나님은 엘리야가 이스라엘의 과부들을 돕는 대신 다른 나라에 있는 과부를 돕도록 보내셨어요.

엘리사가 선지자였을 때, 이스라엘에는 한센병에 걸린 사람들이 많았어요. 그들은 병이 낫기를 원했지만 엘리사는 그들을 고치지 않았어요. 대신 나아만이라는 사람의 한센병을 고쳤어요. 나아만은 하나님의 백성이 미워하는 시리아 사람이었어요.

회당에서 예수님의 말씀을 들은 사람들은 화가 났어요. 그들은 예수님을 마을 밖으로 내쫓았어요. 낭떠러지에서 예수님을 밀쳐 떨어뜨리려고 했지요. 하지만 예수님은 사람들 한가운데를 지나 떠나가셨어요.

●● 가스펠 링크

이사야 선지자는 메시아를 보내겠다는 하나님의 계획을 예수님이 태어나시기 수백 년 전에 기록했어요. 메시아는 좋은 소식을 전하고, 깨지고 상한 사람들을 구원할 거예요. 예수님은 이사야의 글을 읽으시고, 듣고 있던 모든 사람에게 자신이 바로 그 메시아라고 말씀하셨어요.

가스펠 **준비**
(10~20분)

*는 선택 활동입니다.

환영

도착하는 아이들을 반갑게 맞이하고 헌금, 출석, QT 등을 확인하며 격려한다. 새 친구가 있다면 소개한다. 편안한 분위기에서 안부를 물으며 오늘의 말씀과 관련된 화제로 이야기를 나눈다. 어릴 때 자라난 동네에 대한 좋은 기억이 있는지 물어본다. 이사한 경우, 어릴 때 살던 곳은 어떤 곳이었는지 이야기를 나누어 본다. 자발적으로 대화에 참여하도록 이끈다.

예) "자라난 동네에 대한 좋은 기억이 있나요?", "어릴 때 살던 곳과 지금 사는 곳은 어떻게 다른가요?" 등.

── 자라난 곳, 고향을 생각하면 마음이 따뜻해지지 않나요? 시골 할머니 댁에 놀러가는 것도 비슷한 느낌일 거 같아요. 내가 갔을 때 나를 반겨 주는 것만큼 기분 좋은 일도 없지요! 오늘 성경 이야기에서 예수님은 고향인 나사렛으로 가셨어요. 거기서 무슨 일이 벌어졌을까요? 함께 알아보아요.

마음 열기

신문지 조각품 *

준비물 신문지, 박스 테이프, 물티슈

① 아이들에게 신문지를 구기고 비틀어 모양을 만드는 시범을 보여 준다. 아이들에게 박스 테이프를 사용해 신문을 원하는 대로 붙일 수 있다고 말해 준다.

② 아이들을 2~3명씩 나누고, 팀별로 신문지를 사용해 조각품을 만들게 한다.

③ 아이들이 원하는 대로 작품을 만들 수 있도록 시간을 충분히 준다.

④ 팀별로 완성한 작품을 소개하며, 조각품을 만드는 동안 어려웠던 점에 관해 함께 이야기를 나눈다.

── 사람들은 새로운 소식을 알기 위해 신문을 읽어요. 신문에는 좋은 소식과 나쁜 소식이 가득해요. 오늘의 성경 이야기는 예수님이 고향에 있는 사람에게 전한 좋은 소식에 관한 이야기예요.

자유케 하는 소식 *

준비물 눈가리개, 성경, 다양한 책, 책상

① 아이들을 2팀으로 나누고, 팀별로 줄을 세운다.

② 아이들의 반대편에 책상을 놓고, 그 위에 성경을 포함한 다양한 책을 펼쳐 둔다.

③ 각 팀의 첫 번째 아이들에게 눈가리개를 씌운다.

④ 인도자가 출발 신호를 하면 눈가리개를 한 상태로 책상 앞으로 가 촉감만으로 성경을 찾게 한다.

⑤ 성경을 잡았다고 확신하는 아이는 눈가리개를 벗으며 "눈먼 자를 다시 보게 하셨습니다!"라고 외치라고 한다.

⑥ 잡은 책이 성경이면 해당 팀이, 성경이 아니면 상대 팀이 점수를 얻는다고 말해 준다.

── 예수님은 책을 펼쳐 이사야의 글을 읽으셨어요. "주의 성령이 내게 임하셨으니 이는 가난한 자에게 복음을 전하게 하시려고 내게 기름을 부으시고 나를 보내사 포로된 자에게 자유를, 눈먼 자에게 다시 보게 함을 전파하며 눌린 자를 자유롭게 하고 주의 은혜의 해를 전파하게 하려 하심이라." 이는 예수님이 이 땅에 오실 것을 예언한 내용이었어요. 오늘 성경 이야기를 통해 여러분도 자유함을 경험해 보세요.

교사를 위한 기록장 이 과를 준비하면서 깨닫게 된 묵상을 정리해 보세요.

· 하나님이나 나에 대해 새롭게 알게 된 것은?

· 기억하고 싶은 하나님의 약속은?

· 아이들에게 전하고 싶은 메시지는?

가스펠 **설교**
(15~30분)

들어가기

준비물 **탁자, '무엇이든 물어보세요!' 포스터**(지도자용 팩), **성경, 물통**

탁자에 '무엇이든 물어보세요!'라고 쓰인 포스터가 붙어 있다. 인도자는 성경과 물통을 들고 들어와 탁자 옆에 선다.

안녕하세요, 여러분! 다시 만나서 기뻐요. 오늘 처음 오신 분들을 위해 제 소개를 할게요. 저는 인도자 이름입니다. 거리 축제를 위해 이 부스를 만들었어요. 이곳에서 하나님과 성경에 대한 사람들의 질문에 답해 준 지 벌써 며칠이 지났어요. 사람들이 하나님에 대해 알고 싶어 하는 것은 정말 놀라운 일이에요. 하지만 아쉽게도 모든 사람이 관심을 가지는 것은 아니에요. 어떤 사람들은 제가 하는 대답을 마음에 들어 하지 않아요. 제가 하는 말이 모두 사실인데도 말이에요. 그런데 혹시 알고 있나요? 예수님도 마찬가지였어요. 모든 사람이 예수님의 말씀을 좋아했던 것은 아니었답니다.

연대표

니고데모가 예수님을 찾아왔어요

세례 요한이 예수님에 관해 말했어요

예수님이 사마리아 여인을 만나셨어요

예수님이 고향에서 거절당하셨어요

예수님은 30세 정도 되었을 때 사역을 시작하셨어요. 우리는 지난 몇 주 동안 예수님을 만난 사람들에 관해 배웠어요. 니고데모, 세례 요한, 사마리아 여인이 있었지요. 예수님은 제자들과 함께 여행하면서 회당에서 사람들을 가르치셨어요. 연대표에서 오늘의 성경 이야기를 가리킨다. 오늘의 성경 이야기는 "예수님이 고향에서 거절당하셨어요"예요. 예수님은 고향으로 돌아가 회당에서 가르치셨지만, 그곳의 사람들은 예수님을 받아들이지 않았어요. 무슨 일이 있었는지 함께 살펴보아요.

성경의 초점

지난주 성경 이야기에서 예수님은 자신이 누구인지 말씀하셨어요. **예수님은 자신이 누구라고 하셨나요? 예수님은 자신이 메시아라고 말씀하셨어요.** 이것이 오늘의 '성경의 초점' 질문과 답이에요. 각각의 성경 이야기는 예수님이 자신을 메시아라고 말씀하셨다는 사실을 보여 주어요. 오늘 우리는 예수님이 전하신 다른 말씀에 관한 이야기를 들을 거예요.

성경 이야기

누가복음 4장을 펴고, 설교 영상(지도자용 팩)을 보여 주거나 이야기 성경을 들려준다. 이야기를 들려줄 때 화이트보드에 그림을 그려도 좋다. (예 : 예수님이 회당에 가신 부분에서는 회당 건물을, 예수님이 말씀을 인용하실 때는 성경책이나 성경 두루마리, 놀란 얼굴, 비구름, 화난 얼굴 등을 그린다.) 또는 이야기의 시작 부분에서 앉아 있다가 예수님이 말씀을 읽으시는 부분에서 일어났다 다시 앉는다. 사람들이 예수님을 쫓아내는 부분에서는 일어서서 발을 굴러 아이들의 흥미를 이끌어도 좋다.

나사렛은 예수님의 고향이에요. 혹시 기억하나요? 예수님은 마리아와 요셉이 호적을 등록하기 위해 베들레헴에 갔을 때 태어나셨어요. 얼마 지나지 않아 마리아와 요셉과 예수님은 나사렛으로 돌아갔고, 예수님은 그곳에서 자라셨어요(마 2:19~22 참조).

제자들과 나사렛으로 가신 예수님은 안식일이 되자 사람들을 가르치기 위해 회당에 가셨어요. 그리고 이사야 선지자의 책을 펼쳐 읽으셨어요. 큰 소리로 누가복음 4장 18~19절을 읽는다. 예수님은 이 말씀을 읽고 난 후, "이 글이 오늘 너희 귀에 응하였느니라"라고 말씀하셨어요. **예수님은 성경이 자신에 대해 기록하고 있다고 말씀하셨어요.** 예수님이 읽으신 이사야의 글이 바로 그 기록이었어요!

하나님은 예수님을 이 땅에 보내 가난한 사람들에게 복음을 전하고, 포로들을 자유롭게 하고, 눈이 먼 사람들을 보게 하셨어요. 하나님은 하나님의 백성을 구하기 위해 메시아를 보내겠다고 약속하셨어요. 그 약속은 구약성경에 기록되어 있어요. **예수님은 자신이 누구라고 하셨나요? 예수님은 자신이 메시아라고 말씀하셨어요.** 사람들은 예수님의 말씀을 듣고 감탄했지만, 그들 중 일부는 예수님이 진리를 말하는 것인지 쉽게 믿지 못했어요. 그들은 예수님이 어릴 때부터 나사렛에서 자란 것을 보았어요. 그가 정말로 메시아일까요? 왜 어떤 사람들은 예수님의 말씀에 만족하지 않았을까요? 예수님은 선지자 엘리야와 엘리사를 통해 하나님이 행하신 기적에 관해 말씀하셨어요. 하나님이 유대인뿐만 아니라 유대인이 아닌 이방 사람들을 위해 하신 일이었지요. 이 말을 들은 유대인들은 화를 냈어요. 예수님을 마을 밖으로 쫓아내고, 낭떠러지에서 밀쳐 떨어뜨리려고 했어요. 하지만 예수님은 사람들 한가운데를 지나서 떠나셨어요.

가스펠 링크

이사야 선지자는 메시아를 보내겠다는 하나님의 계획을 예수님이 태어나시기 수백 년 전에 기록했어요. 메시아는 기쁜 소식을 전하고, 깨지고 상한 사람들을 구원하실 거예요. **예수님은** 이사야의 글을 읽으시고, 듣고 있던 모든 사람에게 **자신이** 바로 그 **메시아라고 말씀하셨어요.**

이사야 선지자는 메시아가 가난한 사람들에게 기쁜 소식을 전할 것이라고 기록했어요. 예수님은 사람들을 죄에서 구원하시기 위해 이 땅에 오셨어요. 예수님은 결코 죄를 짓지 않으셨지만 십자가에서 우리가 받아야 할 벌을 대신 받으셨어요. 예수님을 믿는 사람은 누구나 의롭다 여기심을 받고 영원한 생명을 얻게 되어요.

복음 초청

성경과 103쪽 복음 초청 가이드를 이용해서 아이들에게 그리스도인이 되는 법을 설명해 준다. 따로 상담해 줄 사람을 정해 주고 궁금한 점이 있으면 물어보도록 격려한다.

이 시간 예수님을 마음에 모시고 싶은 친구는 함께 기도해요.

기도

사랑하는 하나님, 성경 말씀을 통해 하나님이 우리를 얼마나 사랑하시는지 알게 해 주셔서 감사합니다. 우리와 같은 죄인을 구하기 위해 예수님을 이 땅에 보내 주셔서 감사합니다. 하나님의 은혜가 없었다면 우리도 예수님을 거절했을 거예요. 구세주이신 예수님을 믿을 때 우리를 용서하시고 하나님의 자녀로 받아 주셔서 감사합니다. 이 기쁜 소식을 다른 사람들에게도 전할 수 있도록 우리를 인도해 주세요. 예수님의 이름으로 기도합니다. 아멘.

적용

TIP 설교 도입이나 적용으로 활용하거나 영상을 본 뒤 소그룹으로 나누어 풍성한 대화를 이어 갈 수 있습니다.

예수님의 고향 사람들이 예수님을 거절한 것을 보고 놀랐나요? 여러분은 혹시 다른 사람들에게 거절당한 경험이 있나요? 이 질문을 생각하며 오늘의 영상을 함께 보아요.

적용 예화 영상(지도자용 팩)을 보여 준다.

채소들이 컵케이크를 거절했을 때, 컵케이크는 어떤 기분이었을지 함께 이야기를 나눈다.

누군가 여러분을 거절할 때, 여러분은 무엇을 할 수 있나요? 혹시 예수님을 믿는다는 이유로 거절당한 적이 있나요? 만약 그런 일이 생긴다 해도, 하나님은 우리가 믿음을 포기하지 않기를 바라세요. 예수님이 사람들에게 거절당하시고 십자가에서 우리의 죄를 대신 지셨다는 것을 기억하세요. 우리가 예수님을 믿을 때 하나님은 우리를 받아 주세요.

아이들이 예수님을 믿는 믿음 때문에 거절당한 사람들을 격려할 수 있도록 함께 이야기를 나눈다.

가스펠 소그룹
(10~20분)

나침반

기억하나요?

준비물 **2단원 암송(109쪽), 화이트보드, 보드마커**

① 아이들에게 2단원 암송을 보여 주고, 큰 소리로 함께 읽게 한다.

② 아이들에게 오른손을 높이 들게 한다.

③ 요한복음 14장 6절의 첫 어절을 아는 아이는 손을 내리라고 한다.

④ 첫 어절을 화이트보드에 쓴다.

⑤ 아이들이 2단원 암송을 모두 외울 때까지 어절마다 같은 과정을 반복한다.

— 잘했어요! 2단원 암송 구절에 따르면, 사람들이 착한 행동을 할 때 천국에 갈 수 있나요? (아니다) 중요한 사람을 알면 천국에 갈 수 있나요? (아니다) 유명해지면 천국에 갈 수 있나요? (아니다) 죄로 인해 하나님에게서 멀어지면 어떻게 하나님과 다시 가까워질 수 있을까요? (예수님을 믿는다)

보물 지도

성경 오락관

준비물 **성경, 포스트잇, 사인펜, 화이트보드, 보드마커**

① 아래의 단어를 포스트잇에 써 화이트보드나 벽에 붙인다..

성경(100점), 성경(200점), 성경(300점), 예수님(100점), 예수님(200점), 예수님(300점), 선지자(100점), 선지자(200점), 선지자(300점).

② 아이들을 2팀으로 나눈다.

③ 각 팀에 질문할 때마다 먼저 질문 종류와 점수를 고르게 하고, 해당하는 질문을 던진다.

④ 아이들이 정답을 맞히면 해당 점수를 주고, 맞히지 못하면 상대 팀에 질문한다.

⑤ 점수를 많이 얻은 팀이 이긴다.

<성경>

· 100점 : 누가복음은 구약에 있나요? 아니면 신약에 있나요? 신약

· 200점 : 누가복음은 신약성경의 어디에 있나요? 사복음서

· 300점 : 사복음서의 이름을 모두 말해 보세요 .

마태복음, 마가복음, 누가복음, 요한복음

<예수님>

· 100점 : 예수님은 어디에서 자라셨나요? 나사렛 (눅 4:16)

· 200점 : 예수님은 안식일에 어디로 가셨나요? 회당 (눅 4:16)

· 300점 : 사람들은 예수님을 누구의 아들로 알고 있었나요? 요셉 (눅 4:22)

<선지자>

· 100점 : 예수님이 말씀하신 2명의 선지자는 누구였나요?

엘리야와 엘리사 (눅 4:28)

· 200점 : 예수님은 선지자가 어느 곳에서 환영받지 못한다고 하셨나요?

고향 (눅 4:24)

· 300점 : 예수님은 성경의 어느 부분을 읽으셨나요? 이사야 (눅 4:17)

— **예수님은 성경이 자신에 대해 기록하고 있다고 말씀하셨어요.** 이사야의 예언은 바로 예수님에 관한 것이었어요! 예수님은 사람들이 자신을 받아들이지 않을 것을 알고 계셨어요. 사람들은 예수님을 죽이려고 했지만 예수님은 사람들 사이를 지나가셨어요.

탐험하기

누가 이야기했을까요?

준비물 **학생용 교재 40쪽, 연필, 성경**

① 말풍선 속의 말과 그 말을 한 사람을 연결하게 한다.

② 성경을 찾아 답을 확인해 본다.

③ 마지막 빈칸에는 나라면 예수님을 누구라고 고백할 것인지 적어 보게 한다.

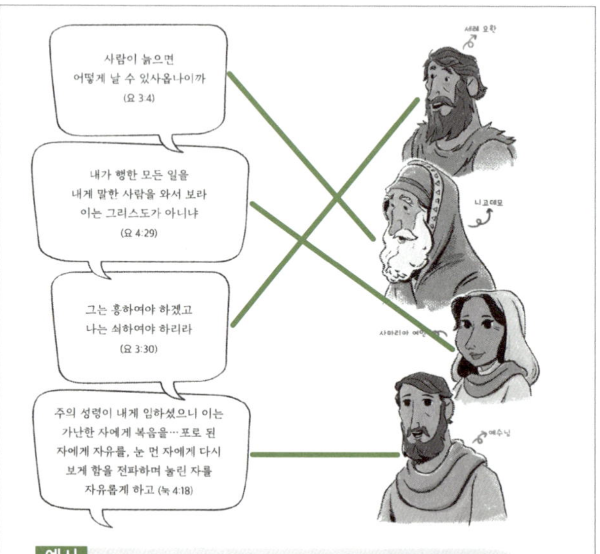

예시

나에게 가장 큰 선물을 주신 분

—— **예수님은 성경이 자신에 대해 기록하고 있다고 말씀하셨어요.** 예수님은 우리를 구원하러 오신 메시아세요. 우리는 예수님을 어떤 모습으로 받아들이고 있나요? 오늘 성경 이야기를 기억하며 나는 어떤 모습으로 예배하는지 곰곰이 생각해 보세요.

같은 말씀, 다른 반응

준비물 **학생용 교재 41쪽, 연필**

① 예수님의 이야기를 들은 사람들은 서로 다른 반응을 보였다는 점을 알려 준다.

② 사람들이 지었을 표정을 얼굴 안에 그려 보게 한다.

③ 오늘 어떤 표정으로 예배했는지 그려 보게 한다.

예시

—— 오늘 성경 이야기를 들으면서 예수님을 쫓아낸 나사렛 사람들이 정말 나쁘다는 생각이 들었어요. 그런데 혹시 우리는 오늘 어떤 얼굴로 예배했나요? 예수님을 쫓아낸 나사렛 사람들과 같은 표정과 마음으로 하나님을 예배하지는 않았나요? 앞으로 어떤 표정으로 하나님을 예배하고 싶은지 함께 그려 보아요.

예수님은 누구인가요? *

준비물 **성경, 색인 카드, 4절지, 사인펜**

① 아래의 성경 장절을 색인 카드에 각각 적어 둔다.

② 아이들을 4팀으로 나누고, 각 팀에 색인 카드와 준비물을 나누어 준다.

③ 성경에서 각 팀이 받은 색인 카드의 성경 구절을 찾아서 읽게 한다.

④ 팀별로 성경 구절의 내용을 4절지에 그림으로 그리고, 그림을 설명하는 내용을 한 문장으로 쓰라고 한다.

· 예수님은 하나님이 사랑하시는 아들이세요. (눅 3:21~22)

· 예수님은 하나님의 아들이며 그리스도세요. (눅 4:38~41)

· 예수님은 죄인을 불러 회개시키기 위해 오셨어요. (눅 5:27~32)

· 예수님은 하나님이 보내신 메시아세요. (눅 9:18~20)

—— 예수님은 나사렛에 있는 회당으로 가셔서 이사야 선지자의 글을 읽으셨어요. **예수님은 성경이 자신에 대해 기록하고 있다고 말씀하셨어요.** 여러분의 성경 구절은 예수님에 관해 어떤 내용을 말해 주나요?

보물 상자

나만의 기록장

준비물 **학생용 교재 42쪽, 연필**

① 아이들에게 누군가에게 거절당한 적이 있거나 그런 상황을 상상해 본 적이 있는지 물어보고, 그때 기분이 어땠는지 글로 써 보라고 한다.

② 하나님이 아들이신 예수님을 통해 우리를 받아 주셨다는 것을 깨달았을 때 어떤 느낌이 들었는지 물어본다.

③ 우리를 구원하시고 받아 주신 하나님께 감사드리는 기도를 쓰게 한다.

메시지 카드

이번 주 메시지 카드로 부모님과 함께 오늘 배운 성경 이야기를 나누어 보라고 한다.

기도

하나님, 말씀을 주셔서 감사합니다. 그리고 말씀이신 예수님을 우리에게 보내 주셔서 감사합니다. 우리는 죄인이어서 예수님을 거절했지만, 하나님은 우리를 받아 주셔서 감사합니다. 어떤 상황에서도 예수님을 믿을 수 있게 도와주세요. 예수님의 이름으로 기도합니다. 아멘.

11
예수님이 삭개오를 만나셨어요

눅 19:1~10

단원 암송

예수께서 이르시되
내가 곧 길이요 진리요 생명이니
나로 말미암지 않고는 아버지께로 올 자가
없느니라(요 14:6).

성경의 초점

예수님은 자신이 누구라고 하셨나요?
예수님은 자신이 메시아라고 말씀하셨어요.

본문 속으로

삭개오는 여리고성에 살았습니다. 그는 세리장이었습니다. 삭개오는 로마 정부를 대신해 유대인들에게 세금을 거두는 일을 했습니다. 많은 사람이 삭개오를 알았지만, 그를 싫어했습니다.

성경은 삭개오가 부자였다고 기록합니다. 세금을 거두는 사람들은 흔히 정해진 세금보다 더 많이 거두었다가 남은 것을 가졌기 때문입니다. 삭개오는 탐욕과 부정직함 때문에 사람들에게 멸시를 받았고 '죄인' 취급을 당했습니다. 그리고 삭개오도 자신의 명예보다 재물을 더 소중히 여겼습니다.

삭개오는 자신의 인생이 하루 만에 바뀌리라는 사실을 생각조차 하지 못했을 것입니다. 예수님이 여리고에 오셨을 때 삭개오는 예수님을 보고 싶었습니다. 그러나 사람들이 너무 많아 어깨 너머로 볼 수가 없었습니다. 그는 예수님을 보기 위해 앞으로 달려가서는 돌무화과나무(뽕나무)에 올라갔습니다.

그곳에 이르신 예수님이 나무 위를 보며 말씀하셨습니다. "삭개오야 속히 내려오라 내가 오늘 네 집에 유하여야 하겠다"(눅 19:5). 예수님이 삭개오를 부르셨을 때 사람들이 얼마나 놀랐을지 상상해 보십시오. 여리고에 있는 수많은 사람 중에 하필 삭개오와 같은 죄인의 집에 머무시겠다니요. 예수님을 이해할 수 없었던 사람들은 불평했습니다.

성경은 예수님을 만난 삭개오의 인생이 변화되었다고 말합니다. 삭개오는 자기 재산의 절반을 가난한 자들에게 주겠다고 약속했습니다. 누군가를 속여 이득을 취한 것이 있다면 4배로 갚겠다고 말했습니다. 이제 삭개오는 더 이상 물질에 대한 욕심에 사로잡힌 자가 아니었습니다. 그는 예수님이 훨씬 더 좋은 것을 주셨다는 사실을 깨달은 것입니다. 삭개오의 변화된 마음을 아시는 예수님은 "오늘 구원이 이 집에 이르렀으니"(눅 19:9)라고 말씀하셨습니다.

●● 티칭 포인트

예수님을 만나고 변화되지 않은 채 떠나간 사람은 없었습니다. 여러분이 가르치는 아이들이 그들의 필요를 채우기 위해 이 땅에 오신 예수님을 진정으로 만날 수 있게 해 달라고 기도하십시오. 예수님은 삭개오나 우리처럼 잃어버린 사람들을 찾아 구원하기 위해 오셨습니다. "나는 의인을 부르러 온 것이 아니요 죄인을 부르러 왔노라"(막 2:17). 우리가 회개하고 예수님을 믿으면 그분은 우리를 변화시켜 주십니다.

주 제

예수님을 만난 삭개오는 새롭게 변화되었어요.

가스펠 링크

예수님은 자격 없는 죄인인 우리를 찾아오셔서 죄에서 구원해 주세요.

예수님이 삭개오를 만나셨어요 눅 19:1~10

예수님이 여리고에 가셨어요. 여리고에는 삭개오라는 사람이 살고 있었어요. 삭개오는 세리장이었고 부자였어요. 그는 여리고에 사는 유대인들에게 세금 거두는 일을 책임지고 있었어요. 대부분의 유대인은 세리를 좋아하지 않았어요. 세리들이 정직하지 않았기 때문이에요. 세리장이었던 삭개오도 사람들에게 미움을 받았지요.

예수님이 마을에 오시자 많은 사람이 모였어요. 삭개오는 예수님이 너무 보고 싶었지만, 키가 작았기 때문에 사람들의 어깨너머로 볼 수가 없었어요. 그래서 그는 앞으로 달려가 돌무화과나무(뽕나무) 위로 올라갔어요.

그곳을 지나시던 예수님이 나무 아래 멈추셨어요. 그러고는 고개를 들어 나무 위에 있는 삭개오를 보셨어요.

예수님이 말씀하셨어요. "삭개오야, 어서 내려오너라. 내가 오늘 네 집에서 묵어야겠다."

삭개오는 예수님을 집에 모실 수 있어 너무나 기뻤어요. 그래서 나무에서 얼른 내려왔어요. 그러나 이 모습을 본 사람들은 불평하며 수군거렸어요. "삭개오는 죄인이야! 그런데 예수님은 어떻게 죄인의 집에 가시겠다는 거지?"

예수님을 집에 모신 삭개오가 예수님께 말했어요. "주님, 보십시오! 제가 가진 재산의 절반을 가난한 사람들에게 주겠습니다. 그리고 누군가를 속여 빼앗은 것이 있다면 4배로 갚아 주겠습니다."

예수님이 삭개오에게 말씀하셨어요. "오늘 구원이 이 집에 이르렀다. 이 사람도 아브라함의 자손이다."

그리고 "인자는 잃어버린 자를 찾아 구원하러 왔다"라고 말씀하셨어요. 예수님은 삭개오처럼 하나님을 알지 못하는 사람들을 찾아 그들을 죄에서 구원하기 위해 이 땅에 오셨어요.

●● 가스펠 링크

예수님은 잃어버린 자를 찾아 구원하기 위해 이 땅에 오셨어요. 자격 없는 죄인인 우리를 찾아오셔서 죄에서 구원해 주세요. 예수님은 우리를 위해 십자가에서 죽으셨어요. 예수님은 우리가 회개하고, 그분을 믿고 의지할 때 기뻐하세요.

가스펠 준비
(10~20분)

*는 선택 활동입니다.

환영

도착하는 아이들을 반갑게 맞이하고 헌금, 출석, QT 등을 확인하며 격려한다. 새 친구가 있다면 소개한다. 편안한 분위기에서 안부를 물으며 오늘의 말씀과 관련된 화제로 이야기를 나눈다. 아이들에게 지금까지 겪은 변화 중 가장 큰 변화는 무엇인지 물어본다. 자발적으로 대화에 참여하도록 이끈다.

예) "지금까지 겪은 변화 중 가장 큰 변화는 무엇인가요?", "변화를 겪는 일은 어려운가요? 쉬운가요?" 등.

— 이사를 가거나, 학교를 옮겨 새 친구를 사귀어야 하는 것처럼 큰 변화를 겪었을 때 어떤 기분이었나요? 좋은 변화였다고 느꼈나요, 나쁜 변화였다고 느꼈나요? 오늘 성경 이야기에서 한 사람이 엄청난 변화를 겪었어요. 그 사람은 어떤 감정을 느꼈을까요? 함께 알아보기로 해요.

마음 열기

세금을 내시오! *

준비물 **마른 콩, 작은 종이봉투**(인원수대로)

① 작은 종이봉투에 마른 콩을 12개씩 넣어 둔다.

② 2명씩 짝을 짓게 하고, 콩이 든 봉투를 하나씩 나누어 준다.

③ 한 아이는 봉투에서 2개 이상의 콩을 잡아 손에 숨기고, 다른 아이는 콩의 개수가 홀수인지 짝수인지 맞히라고 한다.

④ 정답을 맞히면 상대방의 콩을 가져오고, 틀리면 같은 수의 콩을 상대방에게 주어야 한다고 말해 준다.

⑤ 서로 역할을 바꾸어 가며 둘 중 한 명의 콩이 모두 없어질 때까지 놀이를 계속하게 한다.

— 상대방이 여러분의 콩을 가져갈 때 기분이 어땠나요? 오늘의 성경 이야기는 필요 이상으로 많은 세금을 거두었기 때문에 사람들에게 미움을 받았던 한 사람에 관한 이야기예요.

어떻게 변할까요? *

준비물 **탁자, 종이봉투 3개, 팝콘 알갱이, 빵, 물병**

① 첫 번째 종이봉투에는 팝콘 알갱이를 넣고, 두 번째 봉투에는 빵을, 세 번째 봉투에는 물병을 넣어 둔다.

② 봉투 3개를 탁자 위에 올려 두고, 아이들에게 봉투 안을 보지 않고 겉으로 만진 촉감만으로 내용물이 무엇인지 맞혀 보라고 한다.

③ 봉투 안에 있는 물건을 꺼내 보여 주고, 각각의 물건에 열을 가하면 어떻게 되는지 설명한다.

예) 열을 가하면 물건이 어떻게 변할까요? (팝콘 알갱이는 터지고, 빵은 토스트로 변하며, 물은 수증기가 된다)

— 오늘 우리는 예수님을 만난 한 사람에 관한 성경 이야기를 들을 거예요. 예수님을 만난 뒤 그의 삶은 어떻게 바뀌었을까요?

교사를 위한 기록장 이 과를 준비하면서 깨닫게 된 묵상을 정리해 보세요.

· 하나님이나 나에 대해 새롭게 알게 된 것은?

· 기억하고 싶은 하나님의 약속은?

· 아이들에게 전하고 싶은 메시지는?

가스펠 **설교**
(15~30분)

들어가기

DVD **준비물 탁자, '무엇이든 물어보세요!' 포스터**(지도자용 팩), **성경, 물통**

탁자에 '무엇이든 물어보세요!'라고 쓰인 포스터가 붙어 있다. 인도자는 성경과 물통을 들고 들어와 탁자 옆에 선다.

안녕하세요, 여러분! 다시 만나서 정말 반가워요! 저는 인도자 이름이에요. 지난 몇 주 동안 거리 축제 때문에 이곳에서 부스를 운영했어요. 그리고 하나님과 성경에 대한 사람들의 질문에 답을 해 주었지요. 정말 멋진 일이었어요! 흥미로운 사람들도 많이 만났지요. 많은 사람이 하나님에 대해 더 알고 싶어 했어요. 그들의 질문에 답하는 것이 정말 즐거웠답니다. 사실 어떤 사람들은 그냥 가버리고 다시 오지 않기도 했어요. 그렇지만 몇 명은 돌아와서 성경에 있는 하나님에 관한 말씀을 진실로 믿는다고 말했지요! 정말 신나는 일이에요! 하나님의 말씀은 삶을 바꾸어요!

성경의 초점

하나님의 말씀에는 능력이 있어요. 그 말씀은 우리에게 하나님과 우리 자신에 관한 진리를 말해 주어요. 우리는 계속해서 예수님이 누구신지에 관한 성경 이야기를 들었어요. 그 성경 이야기들은 2단원 '성경의 초점' 질문에 답을 주고 있어요. '성경의 초점' 질문은 **"예수님은 자신이 누구라고 하셨나요?"**예요. 이 질문에 대한 답을 알고 있는 사람이 있나요? 아이들의 대답을 기다린다. **"예수님은 자신이 메시아라고 말씀하셨어요."**

연대표

연대표를 함께 볼까요? 한 가지 기억해야 할 것이 있어요. 성경은 수많은 짧은 이야기의 모음이기도 하지만, 그 모든 이야기는 하나의 큰 이야기를 이루고 있답니다. 바로 어떻게 하나님께서 예수님을 보내 사람들을 죄에서 구하시기로 하셨는지에 대한 위대한 이야기 말이지요!

우리는 지금까지 예수님이 이 땅에서 하신 사역을 배웠어요. 예수님은 이 땅에 오셔서 사람들에게 하나님에 대해 알려 주셨어요. 예수님은 많은 사람들과 만나셨고, 그 중에는 여리고성에 사는 사람도 있었어요. 연대표에서 오늘의 성경 이야기를 가리킨다. 오늘 성경 이야기의 제목은 "예수님이 삭개오를 만나셨어요"예요.

세례 요한이 예수님에 관해 말했어요

예수님이 사마리아 여인을 만나셨어요

예수님이 고향에서 거절당하셨어요

예수님이 삭개오를 만나셨어요

성경 이야기

DVD 누가복음 19장을 펴고, 설교 영상(지도자용 팩)을 보여 주거나 이야기 성경을 들려준다. 이야기를 들려줄 때, 동전이 든 작은 통을 몇 개 준비해 삭개오의 이름을 말할 때마다 아이들이 통을 흔들게 한다. 또는 이야기를 하면서 연관된 행동을 보여 주어도 좋다. (예 : 삭개오가 나무 위로 올라간 부분을 이야기 할 때 발판 위에 올라가거나, 예수님이 삭개오를 부르시는 부분에서는 손을 입가에 대거나, 군중들이 불평하는 부분에서는 손을 옆구리에 걸친다.)

정말 놀라워요! 삭개오는 여리고에서 세금을 걷던 세리였어요. 그는 유대인들에게 세금을 걷어 로마 정부에 바치는 일을 했지요.

성경은 삭개오가 부자였다고 말해요. 세리들은 종종 실제로 내야 하는 세금보다 더 많은 세금을 걷어 나머지를 가지고는 했어요. 사실, 사람들이 삭개오를 싫어한 것이 이상한 일은 아니에요.

예수님이 삭개오의 집에서 머물 것이라고 말씀하셨을 때 사람들은 화가 났어요. 도무지 예수님을 이해할 수 없었어요. 예수님은 삭개오가 어떤 사람인지 모르시는 것일까요? 도대체 왜 예수님은 정직하지 않고 욕심 많은 죄인의 집에 가겠다고 하시는 것일까요? 이건 도무지 말이 되지 않는 일이었어요!

여러분은 예수님을 집으로 모신 삭개오가 예수님께 뭐라고 말했는지 기억하나요? 삭개오는 자신이 가진 재산의 절반을 가난한 사람들에게 주고, 누구의 것을 속여서 빼앗은 적이 있다면 4배로 갚겠다고 말했어요. 이제 삭개오에게는 돈이 중요하지 않았어요. 예수님은 돈보다도 훨씬 더 중요하고 좋은 무엇인가를 갖고 계셨어요.

가스펠 링크

예수님을 만난 삭개오는 새롭게 변화되었어요. 예수님은 삭개오의 집에 구원이 이르렀다고 말씀하셨어요. 삭개오는 죄인이었지만, 예수님은 죄인들을 위해 세상에 오셨어요. 예수님은 "나는 의인을 부르러 온 것이 아니요 죄인을 부르러 왔노라"(막 2:17)라고 말씀하셨어요.

예수님은 잃어버린 자를 찾아 구원하기 위해 이 땅에 오셨어요. 자격 없는 죄인인 우리를 찾아오셔서 죄에서 구원해 주세요. 예수님은 우리를 위해 십자가에서 죽으셨어요. 예수님은 우리가 회개하고, 그분을 믿고 의지할 때 기뻐하세요.

DVD

복음 초청

성경과 103쪽 복음 초청 가이드를 이용해서 아이들에게 그리스도인이 되는 법을 설명해 준다. 따로 상담해 줄 사람을 정해 주고 궁금한 점이 있으면 물어보도록 격려한다.

이 시간 예수님을 마음에 모시고 싶은 친구는 함께 기도해요.

기도

하나님, 잃어버린 자를 찾아 구원하기 위해 아들을 보내 주셔서 감사합니다. 예수님이 아니었다면 우리는 삭개오와 다를 바 없는 죄인이었을 것입니다. 이 세상의 것들을 소중히 여기는 우리의 어리석음을 용서해 주시고, 우리의 마음을 바꾸셔서 세상의 그 어떤 것보다 예수님을 소중히 여길 수 있도록 도와주세요. 예수님만이 찬양과 경배를 받으시기 합당한 분임을 고백합니다. 예수님의 이름으로 기도합니다. 아멘.

적용

TIP 설교 도입이나 적용으로 활용하거나 영상을 본 뒤 소그룹으로 나누어 풍성한 대화를 이어 갈 수 있습니다.

예수님을 만난 삭개오는 새롭게 변화되었어요. 삭개오가 어떻게 달라졌는지 생각해 보세요. 그리고 오늘의 영상을 함께 보아요.

DVD 적용 예화 영상(지도자용 팩)을 보여 준다.

아이들에게 다음의 질문을 하며 함께 이야기를 나눈다.

오늘 본 영상에서 어떤 아이들이 관대했나요? 이기적인 아이는 누구였나요? 왜 어떤 사람들은 관대하고 어떤 사람들은 이기적일까요? 마지막에 다른 아이들이 이기적인 아이를 도왔다고 생각하나요? 그 이유는 무엇인가요?

예수님을 믿고 의지할 때, 예수님은 우리를 변화시키세요. 하나님은 우리가 다른 사람들을 관대하게 대함으로써 우리가 하나님을 믿는 사람들이라는 사실을 보여 주기를 바라세요. 다른 사람을 관대하게 대할 때, 우리는 다른 어떤 것보다 예수님을 소중히 여긴다는 것을 보여 줄 수 있어요. 우리에게는 예수님이 있기 때문에 이 세상에 있는 모든 것을 도움이 필요한 사람들과 기꺼이 나눌 수 있어요.

가스펠 소그룹
(10~20분)

나침반

말씀 삼각형

준비물 **2단원 암송**(109쪽), **단원 암송 삼각형**(지도자용 팩 또는 111쪽), **가위**

① '단원 암송 삼각형'을 출력해 잘라 둔다. 인원수만큼 준비한다.

② 삼각형을 모두 섞어 탁자 위에 둔다.

③ 아이들에게 삼각형을 4개씩 고르게 하고, 2단원 암송 구절의 순서대로 배열하게 한다.

④ 암송 구절이 완성되면 함께 큰 소리로 반복해서 읽는다.

— 요한복음 14장 6절은 예수님만이 구원받을 수 있는 유일한 길이라는 사실을 분명히 보여 주어요. 예수님이 직접 그렇게 말씀하셨지요! **예수님을 만난 삭개오는 새롭게 변화되었어요.** 우리도 예수님을 주님이자 구세주로 믿으면 새롭게 변화될 수 있어요.

보물 지도

삭개오에 대해 알아보자

준비물 **성경, 화이트보드, 보드마커**

① 아이들을 4명씩 팀으로 나누고, 팀별로 줄을 세운다.

② 인도자가 복습 질문을 하면, 각 줄의 첫 번째 아이부터 순서대로 달려나가 화이트보드에 답을 쓰라고 한다.

③ 정답을 쓰고 돌아온 아이는 맨 끝으로 가 다시 줄을 서라고 한다.

④ 정답을 가장 많이 맞힌 팀이 이긴다.

1. 삭개오는 어느 도시에 살았나요? 여리고 (눅 19:1~2)
2. 삭개오의 직업은 무엇이었나요? 세리장 (눅 19:2)
3. 삭개오는 예수님을 보기 위해 어디로 올라갔나요? 돌무화과나무 또는 뽕나무 (눅 19:4)
4. 예수님은 어디에 머물겠다고 하셨나요? 삭개오의 집 (눅 19:5)
5. 삭개오는 자신의 재산 중 얼마를 가난한 사람들에게 주겠다고 했나요? 절반 (눅 19:8)
6. 이 단어는 '죄에서 벗어나 하나님을 향하여 돌아가는 것'을 의미해요. 무엇일까요? 회개
7. 빈칸을 채워 보세요: 예수님을 만난 ______는 새롭게 변화되었어요. 삭개오
8. 예수님은 누구를 찾아 구원하러 오셨나요? 잃어버린 자 (눅 19:10)

— 모두 잘했어요! 예수님이 삭개오의 집을 방문하시자 사람들이 화를 냈다는 사실에 놀랐나요? 그들은 예수님이 죄인과 함께하신다는 사실에 화가 났어요. 그러나 성경은 우리 모두 죄인이라고 말해요.

예수님은 잃어버린 사람들을 찾아 구원하러 왔다고 말씀하셨어요. 예수님은 죄인들을 구원하러 오셨어요. 이것이 바로 기쁜 소식인 복음이에요!

탐험하기

누굴 찾아 오셨을까?

준비물 **학생용 교재 44쪽, 연필**

빈칸에 알맞은 글자를 넣어 문장을 완성하게 한다.

예수님은 잃 어 버 린 자를 찾 아 구 원 하기 위해 이 땅에 오셨어요.

예수님은 자 격 없 는 죄인인 우리를 찾아오셔서 죄 에서 구 원 해 주세요.

예수님은 우리를 위해 십 자 가 에서 죽으셨어요.

예수님은 우리가 회 개 하고, 그분을 믿 고 의지할 때 기 뻐 하세요.

— 사람들은 예수님이 왜 죄인인 삭개오의 집에 머물겠다고 하시는지 이해하지 못했어요. 하지만 삭개오는 예수님을 만난 후 변했어요. 심지어 자신의 재산을 가난한 사람들에게 나누어 주겠다고 했지요!

예수님을 만난 삭개오는 새롭게 변화되었어요. 예수님은 삭개오의 집에 구원이 이르렀다고 말씀하셨어요. 삭개오는 죄인이었지만, 예수님은 죄인들을 위해 세상에 오셨어요. 예수님은 "나는 의인을 부르러 온 것이 아니요 죄인을 부르러 왔노라"(막 2:17)라고 말씀하셨어요.

삭개오의 변화

준비물 **학생용 교재 45쪽, 연필**

① 아이들에게 예수님을 만난 삭개오가 새롭게 변화되었다고 말해 준다.

② 두 그림을 잘 살펴보고 서로 다른 부분 10곳을 찾아 ○표 하게 한다.

— 이 그림은 예수님이 나무에 있는 한 남자와 이야기하는 그림이에요. 나무 위에 있는 사람은 누구일까요? 아이들의 대답을 기다린다. 바로 삭개오예요. **예수님을 만난 삭개오는 새롭게 변화되었어요!**

가장 중요한 것 *

① 아이들을 둥글게 앉힌다.

② 아이들에게 무인도에 한 가지 물건만 가져갈 수 있다면 무엇을 가져갈 것인지, 또 그 이유는 무엇인지 물어본다.

③ 한 명씩 순서대로 가져갈 물건과 그 물건을 선택한 이유를 말하게 한다.

④ 모든 아이가 말하고 나면, 어떤 물건이 가장 중요한 것 같은지 골라 보라고 한다.

⑤ 무인도에서 살아남기 위해 가장 중요한 물건은 무엇인지, 어떤 물건이 위안을 주는지 물어본다.

— 무인도에서 살아남기 위해 가장 중요한 물건을 선택해 보았어요. 오늘 성경 이야기에 나오는 삭개오에게 가장 중요한 것은 무엇이었나요? (돈) 삭개오는 세리장이었고 부자였어요. 아마도 그는 유대인들을 속여서 부자가 되었을 거예요. 그는 돈에 관심이 많았어요. 하지만 예수님을 만난 후 삭개오는 어떻게 변했나요? (재산의 절반을 가난한 자들에게 주고, 자신이 속여서 빼앗은 것이 있다면 4배로 갚겠다고 말했다) **예수님을 만난 삭개오는 새롭게 변화되었어요.** 예수님은 삭개오에게 가장 소중한 보물이 되셨어요!

숨은 물건을 찾아라 *

준비물 **아동용 잡지, 가위, A4용지, 사인펜**

① 아이들을 3~4명씩 팀으로 나누고, 각 팀에 준비물을 나누어 준다.

② 잡지를 넘기면서 한글의 각 자음으로 시작하는 물건의 그림을 자르게 한다.

③ 자음 하나당 하나의 물건을 찾아서 오려야 한다고 말해 준다.

예) ㄱ : 강아지, 고구마

ㄴ : 노가리, 나무

⋮

ㅁ : 물병, 문

④ 종이에 물건들의 이름을 적어 어떤 글자를 더 찾아야 하는지 확인할 수 있게 한다.

⑤ 정해진 시간이 되면 하던 일을 멈추고, 찾은 물건들의 숫자를 세게 한다.

⑥ 팀별로 어떤 창의적이고 특별한 물건을 찾아냈는지 함께 확인해 본다.

⑦ 가장 찾기 어려웠던 자음과 가장 찾기 쉬웠던 자음이 무엇이었는지 물어본다.

— 모두 잡지에 있는 그림을 잘 찾아냈어요. 오늘 성경 이야기에서 예수님은 누구를 찾아 구원하러 왔다고 말씀하셨나요? (잃어버린 자) 예수님을 모르는 사람들은 '잃어버린 자'예요. 예수님은 죄인들을 위해 오셨어요. 바로 삭개오나 우리 같은 사람들을 위해서 말이에요! 예수님은 자격이 없는 죄인인 우리를 죄에서 구원하셨어요. 예수님은 우리를 위해 십자가에서 죽으시고 다시 살아나셨어요. 예수님은 우리가 회개하고 그분을 믿고 의지할 때 기뻐하세요. **예수님을 만난 삭개오는 새롭게 변화되었어요.** 우리도 예수님을 믿으면 영원히 변화될 수 있어요.

보물 상자

나만의 기록장

준비물 **학생용 교재 46쪽, 연필 또는 색연필**

① 아이들에게 가장 소중히 여기는 것은 무엇인지 물어보고, 그림이나 글로 표현해 보라고 한다.

② 왜 그것을 가장 소중하게 여기는지 그 이유를 쓰게 한다.

— 삭개오가 예수님을 만나기 전에 가장 소중히 여기던 것은 무엇인가요? 예수님을 만난 이후에 그가 가장 소중히 여긴 것은 무엇인가요? 그것을 어떻게 알 수 있나요? 예수님이 여러분도 변화시키셨나요?

메시지 카드

이번 주 메시지 카드로 부모님과 함께 오늘 배운 성경 이야기를 나누어 보라고 한다.

기도

하나님, 이 땅에 예수님을 보내 주셔서 감사합니다. 우리의 노력으로는 해결할 수 없는 죄의 문제를 예수님이 오셔서 해결하시고 우리를 죄에서 구원해 주셨습니다. 예수님을 만난 삭개오가 변화된 것처럼, 우리도 새로운 모습으로 예수님을 더욱 닮아가게 해 주세요. 무엇보다 예수님을 가장 소중히 여기며 살아가도록 도와주세요. 예수님의 이름으로 기도합니다. 아멘.

'나를 위한 하나님의 멋진 계획'

'복음'이라는 말을 들어 본 적 있니?
복음이란 좋은 소식이라는 뜻이야.
하나님이 우리(너)를 위해 보내 주신
놀라운 선물이지.

하나님은 세상을 만드셨단다

하나님은 온 세상을 만드셨어.
하늘, 땅, 나무, 새…. 그런데 더 놀라운 것은 사람을 만드셨다는 거야. 바로 우리(너)를 하나님이 만드셨어.
그리고 우리(너)를 사랑하신다고 성경에서 말하고 있어(요 3:16). 그래서 하나님은 우리와 항상 함께 살기를 원하시지(창 1:1; 골 1:16~17; 계 4:11).

예화 네가 정성을 다해 만든 작품이 소중하듯이 하나님이 너를 만드셨기 때문에 네가 매우 소중한 거야.

사람들은 죄를 짓고 하나님을 떠났어

모두 죄를 지었다고 성경은 말하고 있어(롬 3:23).
죄는 하나님께 불순종해 하나님이 기뻐하시지 않는 말이나 행동을 하는 거야(욕심, 거짓말, 싸움 등).
하나님은 거룩하신 분이기 때문에 죄를 가진 우리는 하나님과 함께 살 수 없게 되었단다.
사람들은 죄 때문에 하나님과 멀어져 결국 죽을 수밖에 없는 벌을 받게 되었어(롬 6:23).

하나님은 구원 계획을 갖고 계신단다

하나님은 우리(너)를 너무 사랑하셔서 우리(너)와 함께 살기를 원하셔. 그래서 대신 벌을 받기로 계획하셨어.
죄가 없으신 하나님의 아들 예수님을 이 땅에 보내셔서 우리가 받아야 할 죄의 벌을 받지 않도록 구원해 주신 거야. 죄인인 우리는 아무리 노력해도 해결할 수 없거든(요 3:16; 엡 2:8~9).

예화 손이 더러우면 어떻게 해야 깨끗해질까? 물로 씻어야겠지? 그런데 거짓말을 했을 때 물로 씻는다고 깨끗해질까?

예수님이 우리에게 생명을 주셨어

예수님은 완전하신 하나님의 아들이시지만 이 세상 사람의 몸으로 태어나셨어.
아무런 잘못이 없으시지만 너의 죄를 용서해 주시기 위해 십자가에서 죽으셨어(히 9:22). 그리고 3일 만에 다시 살아나셨어.
우리를 사랑하시는 하나님이 우리가 하나님과 함께 영원히 살 수 있는 길을 만드신 것이지. 이것이 우리를 위해 계획해 놓으신 최고의 선물이야(롬 5:8; 고후 5:21; 벧전 3:18)!

예수님! 우리 마음에 오세요!

성경은 영접하는 자 곧 그 이름을 믿는 자는 하나님의 자녀가 된다고 말하고 있어(요 1:12; 롬 10:9~10, 13).
'영접'은 손님이 문밖에서 두드리면 문을 열고 안으로 모시듯이 예수님을 "제 마음에 들어오세요" 하고 맞이하는 거야.
'믿는다'라는 것은 예수님이 나의 죄를 위해 십자가에 죽으시고 다시 살아나셨음을 진심으로 믿는다는 뜻이야.

너는 이 예수님을 마음에 모셔 들이기를 원하니? **네.**
예수님은 어떤 분이시지? 우리의 죄를 위해 십자가에 죽으시고 다시 살아나신 분이셔. 그것을 진심으로 믿을 수 있겠니? **네.**
그럼 선생님을 따라서 기도할 수 있겠니? **네.**

영접 기도

사랑하는 예수님, 저는 죄를 지었어요.
저의 죄 때문에 예수님이 십자가에 죽으시고 다시 살아나셨음을 믿어요. 지금 제 마음에 들어오셔서 저의 주님이 되어 주세요.
예수님의 이름으로 기도합니다. 아멘.

구원의 확신

너는 누구의 자녀가 되었지? **하나님이요.**
"영접하는 ○○, 곧 그 이름을 믿는 ○○에게는 하나님의 자녀가 되는 권세를 주셨으니" (요 1:12)
이제 ○○는 하나님의 자녀가 되었다고 하나님이 말씀에서 약속하셨어. 하나님의 자녀가 되었으니 다시는 싸우거나 욕심 부리는 죄를 짓지 않을 수 있을까? **아니요.**
그러면 예수님이 너의 마음에서 떠나실까? **"내가 결코 너를 떠나지도 않고 버리지도 않겠다"** (히브리서 13장 5절 말씀을 읽게 한다).
그래, 너의 마음속에 오신 예수님은 너를 떠나지도 버리지도 않으셔. 항상 너와 함께 계시면서 네가 옳은 일을 할 수 있도록 힘과 용기를 주신단다.

칼럼

교사들을 세우는 제자 훈련

어린이 사역의 동역자를 찾는 것은 쉽지 않습니다. 다른 사역이나 스케줄 조정의 어려움, 그 밖의 다양한 사정들 때문입니다. 이것은 우리가 통제할 수 없는 영역입니다.

이런 어려움을 넘어서서 함께 동역하게 된 교사들을 바라보십시오. 그들은 어떻게 사역하고 있습니까? 성경대로 살아가며, 하나님이 기뻐하시는 사역에 동참하고 있습니까? 그들이 하나님의 사역에 기쁘게 동참할 수 있도록 어떻게 도울 수 있을까요? 바로, 제자 훈련을 하는 것입니다.

어쩌면 여러분은 자신이 다른 성인들을 훈련할 만한 인물이 못 된다고 생각할 수도 있습니다. 그렇다면 다음에 소개하는 제자 훈련을 시도하는 3가지 방법을 살펴보십시오.

1. 함께 기도하십시오

함께 섬기는 이들과 짐을 나누어 지십시오. 아이들이 도착하기 전에 기도 시간을 가지십시오. 서로 기도 제목을 나누고 한 주 동안 문자 메시지와 이메일로 근황을 확인하십시오. 여러분이 그들을 위해 기도하고 있다는 사실을 그들도 알게 하십시오.

또한, 아이들과 가족을 위해 교사와 함께 팀을 이루어 기도하십시오. 이러한 기도의 시간은 복음을 온유하고 사랑스럽게 나눌 수 있도록 각자의 마음을 준비시키는 데 도움이 됩니다. 궁극적으로는 교사들로 하여금 선교적 삶을 살아 내고, 하나님의 나라를 확장시키고픈 열망으로 가득차게 해 줍니다.

2. 당신의 지혜를 나누십시오

어쩌면 여러분은 성인들을 훈련할 만큼 충분한 지식을 갖고 있지 못하다고 생각할지 모릅니다. 하지만 그렇지 않습니다. 여러분은 어린이들의 마음을 훈련 하는 방법을 알고 있고, 그들은 여러분에게 바로 그것을 배우기 원합니다. 엄밀히 말하자면 이것이 여러분의 전 영역입니다.

교실에서 그 과의 예시를 보여 주거나 전체 프로그램을 정기적으로 보여 주며 보석 같은 지혜를 매주 짧게나마 나누어 주기 바랍니다.

어린이 사역과 관련해 여러분에게 주어진 은사는 다른 성인들이 주 안에서 자라나기를 열망하게 함으로써 그들이 궁극적으로 한 어린이가 예수님을 만나는 일을 돕게 할 것입니다.

3. 관계를 발전시키십시오

제자를 삼는 것은 관계를 맺는 일입니다. 결국 예수님은 자신을 따르는 자들과 함께 생활하시며 그들을 제자로 삼으셨습니다. 여러분도 동역하는 사람들에게 이와 같이 할 수 있습니다. 다양한 방법이 있을 수 있겠지요. 예배를 마친 후에 함께 점심 식사를 하거나 주중에 만나 커피를 마시고, 그들의 가족과 어울리거나 함께 성경 공부를 하는 것도 좋습니다.

매주 그들을 격려하면, 여러분도 모르는 사이에 교사들은 여러분의 리더십을 따라 그리스도를 따르는 강력한 제자로 성장하게 될 것입니다.

그렇습니다. 교사들은 어린이 사역을 감당하면서 제자가 될 수 있습니다. 감히 말하건대, 여러분은 어린이들 뿐 아니라 성인들도 훈련할 수 있습니다. 가서 제자 삼으십시오!

"그러므로 너희는 가서 모든 민족을 제자로 삼아 아버지와 아들과 성령의 이름으로 세례를 베풀고 내가 너희에게 분부한 모든 것을 가르쳐 지키게 하라 볼지어다 내가 세상 끝날까지 너희와 항상 함께 있으리라 하시니라"(마 28:19~20).

자나 매그루더(Jana Magruder)는 라이프웨이키즈(LifeWay Kids)에서
어린이 사역부 디렉터를 맡고 있습니다.
베일러(Baylor) 대학을 졸업했으며,
어린이 사역, 교육, 커리큘럼 개발에 힘쓰고 있습니다.

칼럼

성경 이야기를 역동적으로 만드는 미술 작품 활용법

성경 이야기를 표현한 미술 작품(그림, 조각, 공예 등)은 교회나 가정 어디에서나 성경 말씀을 효과적으로 전할 수 있는 보조 자료입니다.

각자의 교수법(가르치는 스타일)이나 가르치는 환경, 혹은 개인적인 취향에 따라 어떤 종류의 자료를 활용할지 선택할 수 있습니다.

미술 작품을 활용해 가르칠 때 다음의 내용을 기억하십시오.

1. 미술 작품에 묘사된 인물은 우리가 가르치는 실제 인물이 아닙니다

미술 작품은 실제 인물을 표현한 예시일 뿐 실제 인물의 사진이 아닙니다. 작품의 종류가 어떤 것이든, 이것들은 실제 인물에 대한 작가의 주관적인 묘사에 불과합니다.

작가마다 같은 대상을 다르게 묘사할 수 있습니다. 우리는 아이들이 등장 인물들이 어떻게 생겼느냐에 주목하기보다 그림의 배경에 주목하도록 가르쳐야 합니다. 사실, 등장 인물들이 실제로 어떻게 생겼는지 아는 사람은 아무도 없습니다.

2. 배경에 주목하십시오

우리가 미술 작품을 활용해 성경 이야기를 전하는 목적은 잘 가르치기 위함입니다. 특정한 이야기를 위해 선택한 미술 작품은 공과에서 가르치려는 내용이나 개념을 강화시킬 수 있습니다. 성경 이야기를 담은 미술 작품을 사용할 때, 작품 자체가 보여주는 것 이외의 것을 발견하고 반응할 수 있도록 이끌어 주십시오.

아이들에게 "이 배경을 통해서 성경 이야기에 관해 어떤 것을 알 수 있을까? 이 인물들은 하나님이나 예수님에 관해 무엇을 알려 주니?"라고 질문해 보기 바랍니다.

3. 메시지를 효과적으로 전달할 수 있는 미술 작품을 선택하십시오.

개인의 취향에 맞거나 익숙한 작품 안에서만 선택하기보다 다양한 자료를 활용하는 것에 도전해 보십시오. 아이들은 대중 매체가 이끄는 사회 속에서 감당 못할 정도로 많은 이미지와 실시간 영상에 끊임없이 노출되어 살아 가고 있습니다.

그러므로 아이들이 그룹 활동을 마치고 돌아갈 때 그들 이 본 성경 이야기와 인물들이 그들이 쉽게 접하게 되는 미디어 자료만큼이나 생동감 있게 받아들여지기 위해서는 많은 노력이 필요합니다.

성경 이야기를 다룬 미술 작품은 효과적인 보조 자료입니다. 이 작품들은 어린이들의 상상력을 활짝 열어 주고 역사 속의 현장으로 빨려 들어가게 합니다. 배우는 아이들이 성경의 진리와 더욱 친밀해지고, 진리가 그들의 마음에 남도록 미술 작품을 풍성하게 활용하기 바랍니다.

팀 폴라드(Tim Pollard)는
익스플로어더바이블키즈(Explore the Bible: Kids) 팀의 팀장으로
아이들이 성경을 깊이 알 수 있게 도와주는 것에 열정적입니다.

예수님은 어떤 점에서 특별한가요?

예수님은 완전한 하나님이시며,
완전한 인간이세요.

예수님은 자신이 누구라고 하셨나요?

예수님은 자신이

메시아라고 말씀하셨어요.

하나님이 세상을 이처럼 사랑하사

독생자를 주셨으니

이는 그를 믿는 자마다 멸망하지 않고

영생을 얻게 하려 하심이라

요한복음 3장 16절

예수께서 이르시되

내가 곧 길이요 진리요 생명이니

나로 말미암지 않고는

아버지께로 올 자가 없느니라

요한복음 14장 6절

'뻥이요!' 카드 답

1. 예수님은 유대 땅에서 무엇을 하셨나요?
   제자들과 함께 지내시며 세례를 베푸셨다 (요 3:22)

2. 세례 요한에게 찾아와 질문한 사람들은 누구였나요?
   세례 요한의 제자 또는 세례 요한을 따르는 사람들 (요 3:25~26)

3. 세례 요한을 따르는 사람들은 그에게 무엇이라고 말했나요?
   세례 요한이 증언하던 이가 세례를 주자 사람들이 다 그에게 갔다고 말했다 (요 3:26)

4. 세례 요한은 자신이 누가 아니라고 했나요?
   그리스도 (요 3:28)

5. 세례 요한은 예수님을 누구에 비유했나요?
   결혼식의 주인공인 신랑 (요 3:29)

6. 세례 요한은 자신을 결혼식에 있는 누구로 비유했나요?
   신랑의 친구 (요 3:29)

7. 세례 요한은 누가 더 흥해야 한다고 말했나요?
   예수님 (요 3:30)

8. 예수님은 어디에서 오셨나요?
   예수님은 하늘에서 이 땅으로 오셨다 (요 3:31)

9. 예수님은 누구의 말씀을 전하셨나요?
   하나님의 말씀 (요 3:34)

10. 아들을 믿는 사람은 무엇을 얻게 되나요?
    영생 또는 영원한 생명 (요 3:36)

11. 영생을 얻지 못하는 사람은 누구인가요?
    아들에게 순종하지 않는 자 (요 3:36)

12. 예수님은 자신이 누구라고 하셨나요?
    예수님은 자신이 메시아라고 말씀하셨어요.

예수께서 이르시되
내가 곧 길이요 진리요 생명이니
나로 말미암지 않고는
아버지께로 올 자가 없느니라

요한복음 14:6

예수께서 이르시되
내가 곧 길이요 진리요 생명이니
나로 말미암지 않고는
아버지께로 올 자가 없느니라

요한복음 14:6

예수께서 이르시되
내가 곧 길이요 진리요 생명이니
나로 말미암지 않고는
아버지께로 올 자가 없느니라

요한복음 14:6

예수께서 이르시되
내가 곧 길이요 진리요 생명이니
나로 말미암지 않고는
아버지께로 올 자가 없느니라

요한복음 14:6

가스펠 프로젝트 신약 커리큘럼

1권	2권	3권	4권	5권	6권
위대한 복음 복음서	**비유와 기적** 복음서	**십자가와 부활** 복음서, 행	**복음으로 세워진 교회** 행	**하나님의 편지** 서신서	**다시 오실 그리스도** 행, 서신서, 계
1단원 성자 하나님	1단원 비유로 말씀하신 예수님	1단원 기름 부음 받으신 예수님	1단원 능력을 주시는 성령님	1단원 인도하시는 하나님	1단원 하나님의 계획
1. 아브라함부터 예수님까지 2. 마리아가 하나님을 찬양했어요 3. 예수님이 태어나셨어요 4. 예수님이 성전에 계셨어요 5. 예수님이 세례를 받으셨어요 6. 예수님이 시험을 이기셨어요	1. 씨 뿌리는 농부 비유 2. 용서할 줄 모르는 종 비유 3. 착한 사마리아인 비유 4. 세 가지 비유 5. 바리새인과 세리 비유 6. 악한 소작인 비유	1. 마리아가 예수님을 예배했어요 2. 예수님이 성전을 깨끗하게 하셨어요 3. 예수님이 제자들과 마지막 식사를 하셨어요 4. 예수님이 체포되셨어요	1. 오순절에 성령이 임했어요 2. 걷지 못하는 사람이 걸었어요 3. 스데반이 고백했어요 4. 빌립이 에디오피아 사람을 만났어요 5. 베드로가 고넬료를 만났어요	1. 바울과 베드로가 만났어요 2. 고린도 교회가 나뉘었어요 3. 야고보가 편지를 보냈어요 4. 서로 사랑해요 5. 바울이 교회 지도자들에게 편지를 보냈어요	1. 복음을 막을 수 없어요 2. 바울이 총독 앞에 섰어요 3. 바울이 로마에 가게 되었어요 4. 감옥에서도 하나님을 찬양했어요 5. 바울이 골로새 교회에 편지를 보냈어요
2단원 우리와 함께 계시는 하나님	2단원 기적을 행하신 예수님	2단원 구원자 예수님	2단원 보내시는 하나님	2단원 변화시키시는 하나님	2단원 하나님을 위해 매인 자들
7. 니고데모가 예수님을 찾아왔어요 8. 세례 요한이 예수님에 관해 말했어요 9. 예수님이 사마리아 여인을 만나셨어요 10. 예수님이 고향에서 거절당하셨어요 11. 예수님이 삭개오를 만나셨어요	7. 예수님이 물을 포도주로 바꾸셨어요 8. 예수님이 하늘의 떡을 주셨어요 9. 예수님이 물 위를 걸으셨어요	5. 예수님이 십자가에 못 박히셨어요 6. 예수님이 부활하셨어요 7. 예수님이 엠마오로 가는 제자들을 만나셨어요	6. 바울이 회개하고 세례를 받았어요 7. 바울이 복음을 전했어요 : 첫 번째 여행 8. 권면의 편지를 보냈어요 9. 바울이 복음을 전했어요 : 두 번째 여행 10. 바울이 유럽에서 복음을 전했어요 11. 바울이 복음을 전했어요 : 세 번째 여행	6. 하나님의 자녀답게 살아요 7. 변화된 마음 8. 성령의 열매를 맺어요 9. 하나님의 전신갑주를 입어요 10. 가진 것을 나누어요 11. 믿음으로 살아요	6. 바울이 빌레몬에게 편지를 보냈어요 7. 바울이 소망을 전했어요 8. 믿음을 지키라고 말했어요 9. 다시 오실 예수님을 기다려요
	3단원 치료하시는 예수님	3단원 부활하신 왕, 예수님			3단원 만물을 새롭게 하시는 하나님
	10. 예수님이 중풍병자를 고치셨어요 11. 예수님이 귀신을 꾸짖으셨어요 12. 예수님이 여자를 고치시고 소녀를 살리셨어요 13. 예수님이 나사로를 살리셨어요	8. 예수님이 제자들에게 나타나셨어요 9. 예수님이 도마에게 나타나셨어요 10. 예수님이 베드로에게 나타나셨어요 11. 예수님이 지상명령을 주셨어요 12. 예수님이 하늘로 올라가셨어요 13. 예수님을 보내신 하나님을 찬양해요			10. 요한의 환상 11. 일곱 교회를 향한 하나님의 경고 12. 보좌에 앉으신 예수님 13. 마라나타 : 예수님! 어서 오세요

※세부 내용은 사정에 따라 변경될 수 있습니다.

신약1 성경의 초점과 주제

1단원 성자 하나님

Q 예수님은 어떤 점에서 특별한가요?

A 예수님은 완전한 하나님이시며, 완전한 인간이세요.

1. 예수님은 아브라함과 다윗의 자손으로 오셨어요.
2. 하나님은 마리아를 예수님의 어머니로 선택하셨어요.
3. 약속하신 메시아로 예수님이 오셨어요.
4. 예수님은 하나님 아버지의 계획을 이루기 위해 이 땅에 오셨어요.
5. 예수님은 죄인들처럼 세례를 받으셨어요.
6. 예수님이 광야에서 시험받으셨어요.

2단원 우리와 함께 계시는 하나님

Q 예수님은 자신이 누구라고 하셨나요?

A 예수님은 자신이 메시아라고 말씀하셨어요.

7. 예수님은 니고데모에게 그가 다시 태어나야 한다고 말씀하셨어요.
8. 예수님은 하늘에서 이 땅으로 오셨어요.
9. 예수님은 사마리아 여인에게 자신이 메시아라고 말씀하셨어요.
10. 예수님은 성경이 자신에 대해 기록하고 있다고 말씀하셨어요.
11. 예수님을 만난 삭개오는 새롭게 변화되었어요.